D0523639

Le *fort* intérieur

Suzanne Aubry

Le *fort* intérieur

roman

Catalogage avant publication de Bibliothèque et Archives Canada

Aubry, Suzanne

Le fort intérieur

ISBN-13 : 978-2-7648-0300-4
ISBN-10 : 2-7648-0300-1

1. Aubry, Suzanne - Romans, nouvelles, etc. I. Titre.

PS8551.U267F67 2006 C843'.54 C2006-941163-8
PS9551.U267F67 2006

Direction littéraire
MONIQUE H. MESSIER

Maquette de la couverture
FRANCE LAFOND

Infographie et mise en pages
LUC JACQUES

Remerciements
Les Éditions Libre Expression reconnaissent l'aide financière du gouvernement du Canada par l'entremise du Programme d'aide au développement de l'industrie de l'édition (PADIÉ) pour ses activités d'édition. Nous remercions le Conseil des Arts du Canada et la Société de développement des entreprises culturelles du Québec (SODEC) du soutien accordé à notre programme de publication. Gouvernement du Québec – Programme de crédit d'impôt pour l'édition de livres – gestion SODEC.

Les Éditions Libre Expression
7, chemin Bates
Outremont (Québec) H2V 4V7
Tél. : 514 849-5259

Distribution au Canada
Messageries ADP
2315, rue de la Province
Longueuil (Québec) J4G 1G4
Téléphone : 450 640-1234
Sans frais : 1 800 771-3022

Dépôt légal – Bibliothèque et Archives nationales du Québec, 2006

ISBN-10 : 2-7648-0300-1
ISBN-13 : 978-2-7648-0300-4

À ma mère
À mon père et à mon frère Michel

À ma sœur Danielle, qui m'a inspiré ce roman

Remerciements

Je tiens à remercier de tout cœur mon éditrice, Monique H. Messier, qui a cru à mon roman dès sa première lecture. Sa confiance et ses commentaires judicieux m'ont donné des ailes pour mener le bateau à bon port.

Je voudrais rendre hommage à ma mère, Paule Saint-Onge, romancière et critique littéraire émérite. J'ai eu la chance de lui faire lire mon manuscrit avant sa mort et de bénéficier une dernière fois de ses avis précieux.

Merci enfin à mon « comité de lecture » personnel (Robert Armstrong, Danielle Aubry, Francine Mhum, Louise Pelletier et Évelyne Saint-Pierre) dont les remarques à la fois amicales et franches m'ont été des plus utiles.

Mais quelquefois l'avenir habite en nous
sans que nous le sachions, et nos paroles qui croient mentir
dessinent une réalité prochaine.

Marcel Proust
À la recherche du temps perdu

The weight of the world
is love
under the burden
of solitude

Allen Ginsberg
Song

Premier cahier

Etchèptérat

Quand j'avais sept ans et des poussières, j'entendais souvent le mot *etchèptérat* dans les conversations des adultes. J'étais convaincue qu'il s'agissait d'un rat qui éternuait, sans comprendre pourquoi un rat qui éternue se retrouve toujours à la fin d'une phrase. C'est Monsieur Péloquin qui a résolu cet épineux problème. Tu te souviens de Monsieur Péloquin ? Il était toujours invité aux réceptions que nos parents organisaient deux ou trois fois l'an. J'ai su plus tard qu'il était écrivain, mais gagnait sa vie en rédigeant des notices nécrologiques, pauvre lui. Il n'avait pas le physique de l'emploi : il avait des yeux pétillants et la mine accorte.

C'était donc soir de réception. Il y avait des écrivains, des journalistes, des employés de la librairie, d'autres gens que papa appelait des pique-assiettes. Incapables de dormir à cause du brouhaha, Fanfan, Julie et moi avons descendu l'escalier à pas de loup pour voir de quoi il retournait. Un homme en habit noir et gants blancs ainsi que deux dames en uniforme se déplaçaient avec des plateaux. Les rires fusaient comme ces pétards que l'on piquait parfois au magasin à un sou, au coin de la rue. Une femme aux seins en entonnoir et la bouche peinte en rouge vif était debout devant Monsieur Péloquin, elle mangeait et parlait en même temps. Monsieur Péloquin se mettait la tête de côté pour éviter ses postillons. Papa était assis à côté d'une dame aux cheveux coiffés très haut sur la tête, en forme de gâteau forêt-noire. Il avait fière allure, dans son habit à fines rayures, et tenait un verre rempli d'un liquide ambré. Il riait un peu trop fort en regardant la dame aux cheveux forêt-noire. Maman parlait à une invitée. Elle portait une robe rouge. Elle était éblouissante, mais elle regardait parfois papa à la dérobée en souriant, l'air triste.

Monsieur Péloquin, voulant sans doute échapper aux postillons de la dame aux seins en entonnoir, nous a aperçus sur le pas de l'escalier et s'est précipité vers nous. Il m'a souri de ce sourire un peu forcé que les adultes arborent lorsqu'ils veulent obtenir quelque chose d'un enfant :

— Ta maman m'a dit que tu écrivais ton journal intime. Est-ce que je peux le voir ?

Je lui ai répondu que je ne pouvais pas lui montrer mon journal, vu qu'il était intime, justement.

— Vas-tu me le montrer si je te donne cinquante sous ?

J'ai réfléchi longuement. Cinquante sous, c'était une fortune, à l'époque. Je suis remontée dans ma chambre, j'ai pris mon journal dans un tiroir de ma commode, je l'ai relu et j'ai raturé tout ce que je trouvais compromettant. Je suis redescendue et j'ai tendu mon journal à Monsieur Péloquin. Il l'a ouvert, a vu les ratures. Je lui ai dit, la mine très sérieuse :

— Vous me devez juste vingt-cinq sous, vu que j'ai barré des choses.

Il m'a regardée un moment, pesant le pour et le contre.

— Je vais te donner les cinquante sous, à la condition que tu répondes à une question.

J'ai accepté le marché, considérant que le risque d'une question indiscrète était minime et que la récompense en valait le coup.

— L'un des mots qui n'était pas raturé dans ton journal était *etchèptérat*. Qu'est-ce que ça veut dire ?

— Un rat qui éternue.

Il a éclaté d'un gros rire, des gens se sont tournés vers nous. Il a fait un gros effort pour se contenir, tellement qu'il en avait des larmes aux yeux. Après un moment, il a réussi à articuler :

— Peut-être as-tu voulu dire *et cætera*.

Je l'ai regardé sans comprendre. Il a pris un stylo dans la pochette de son veston et a écrit le fameux mot sur une serviette en papier tout en l'épelant à voix haute :

— *Et cæ-te-ra*. C'est un mot latin qui signifie « et autres choses semblables ». Par exemple, des oranges, des pamplemousses, *et cætera*. Quand on écrit, on utilise l'abréviation *etc*. pour simplifier.

J'ai alors ressenti une sorte d'exaltation devant ce mystère enfin résolu, mêlée d'un regret, celui de devoir renoncer à mon *etchèptérat*.

Nos parents étaient bien occupés, car ils semblaient ne pas s'être rendu compte que j'étais sortie du lit, en train de faire des marchandages étranges en pyjama avec monsieur Péloquin. Je suis allée rejoindre Fanfan et Julie sous une table couverte d'une nappe blanche pour manger des sandwiches et des saucisses à cocktail. C'était amusant, on voyait des souliers noirs et des escarpins de toutes les couleurs défiler sous nos yeux. Maman a fini par nous trouver endormis sous la table. Elle nous a réveillés et nous a escortés jusqu'à nos chambres, après avoir jeté un regard anxieux en direction de papa, qui parlait toujours à la dame aux cheveux forêt-noire. Une fois dans nos lits, Julie et moi lui avons demandé de nous chanter *Jimbo l'éléphant*. Elle protesta :

— Je vous l'ai chantée tantôt, il faut que je rejoigne les invités.

— Encore, s'il te plaît.

Elle accepta de bonne grâce. Chaque soir, après le bain, maman nous chantait *Jimbo,* le petit éléphant qui meurt d'une balle dans la tête, tué par un méchant chasseur. Nous adorions cette chanson, même si elle était triste – sans doute parce qu'elle l'était –, et nous pleurions sur le sort du pauvre éléphant. Suivait *Une chanson douce,* qui mettait un baume sur notre chagrin, comme s'il fallait, pour mesurer notre bonheur, être d'abord confrontées au malheur. Maman nous embrassa, nous borda, éteignit la lumière. Je lui demandai, alors qu'elle s'apprêtait à refermer la porte, si elle était contente de nous avoir.

— Bien sûr, que je suis contente, ma chouette. Pourquoi tu demandes ça ?

— Pour rien.

— Quand on dit « pour rien », c'est qu'on a quelque chose sur le cœur.

J'ai hésité avant de poursuivre. Puis je me suis jetée à l'eau :

— Et papa, lui ?

Elle s'est approchée de moi, m'a serrée très fort tout à coup. Sa peau était douce, elle sentait la poudre de riz et le savon.

— Papa aussi, tu le sais bien.

Justement, je n'en aurais pas mis ma main au feu. Tante Jovette, au cours d'une visite, m'avait raconté qu'à notre naissance, pris de panique devant ces deux nouvelles bouches à nourrir, papa aurait dit à maman : il faut en faire adopter une. Maman, indignée, l'avait regardé droit dans les yeux, lui avait tendu les deux bébés :

— Choisis. Laquelle des deux ?

D'après le récit de tante Jovette, papa s'est alors rendu compte de l'odieux de sa proposition, et a éclaté en sanglots en se jetant à ses genoux. Ce n'est que des années plus tard que j'ai parlé du récit de tante Jovette à maman. Elle a hoché la tête, mécontente de l'indiscrétion de sa sœur, mais m'a confirmé que c'était vrai, sauf que papa ne s'était pas jeté à ses genoux, il lui avait apporté des fleurs. Le bon côté de l'histoire, c'est qu'il avait regretté son idée d'adoption, et que maman avait chèrement défendu ses jumelles. Toi, tu aurais dit qu'il y a des choses, surtout quand elles sont vraies, qu'il vaut mieux ne pas savoir.

Les « jums »

J'ai toujours cru que Julie et moi étions de vraies jumelles. Lorsque maman nous a appris qu'on avait chacune notre placenta, alors que les vrais jumeaux n'en ont qu'un seul, je continuai à croire à notre gémellité. La perspective d'avoir une fausse jumelle me semblait absurde, étant donné qu'on se ressemblait comme deux gouttes d'eau, et que tout ce qui arrivait à l'une arrivait à l'autre, à une ou deux journées d'intervalle : quand ma jumelle perdait une dent de lait, j'en perdais une le lendemain. Quand elle se râpait le genou gauche, je me râpais le genou droit. La nuit, alors qu'on dormait encore dans le même lit, tête-bêche, on chantait en canon, du moins, s'il faut en croire la légende familiale. On parlait souvent en même temps, avec exactement les mêmes mots. Notre sœur Mimi était convaincue que l'on faisait de la télépathie. Maman, plus pragmatique, attribuait notre mimétisme au fait d'être élevées ensemble.

— Quand on a une différence d'âge de cinquante minutes, c'est normal qu'on dise ou qu'on fasse à peu près les mêmes choses en même temps.

Très tôt, ma jumelle et moi avons éprouvé le besoin d'affirmer notre différence, ce qui n'est pas évident quand tout le monde vous appelle « les jumelles », comme si on n'était qu'une seule entité. Même toi, qui défendais farouchement le droit d'être toi-même, tu n'échappais pas à la règle. Papa disait avec humour « les jums » (prononcer djum), comme s'il comprenait notre agacement devant l'amalgame et le soulignait avec ironie pour nous prouver sa complicité. Maman, malgré son discernement, était incapable de résister à l'effet spectaculaire de la duplication, et tenait à nous « habiller pareil ». Quand on protestait, elle nous disait, ravie : « Mais vous êtes tellement jolies, comme ça ! » Comment résister à un tel compliment, dit avec son sourire si particulier, « fendu jusqu'aux oreilles », comme tu disais, avec une tendresse teintée d'une sorte de reproche devant tant d'optimisme.

On réussissait parfois à négocier des couleurs différentes : ma jumelle en bleu, moi en rose, ou vice-versa. Mais les photos de notre enfance contredisent en général ces timides tentatives de rébellion. Sur les photos des grands événements, nous avions des robes identiques : jaune serin au mariage de Mimi, rouge à Noël, bleu pastel à Pâques, nos initiales soigneusement inscrites à la main par maman sous chacune d'elles, pour que la postérité se souvienne de qui était qui.

Monsieur Toki

Un an et demi après notre naissance, Francis, dit Fanfan, s'est ajouté à la tribu. Sept enfants, c'était une famille nombreuse, surtout pour Ottawa, où il était bien vu de n'en fabriquer que trois ou quatre. Mais pour ma jumelle et moi, c'était une aubaine. Mimi nous apprenait à jouer aux échecs, elle nous épatait avec ses pulls larges, ses pantalons tuyaux très ajustés, sa chevelure coiffée en forme de tulipe à l'envers et sa petite MG, une voiture sport dans laquelle elle consentait parfois à nous emmener faire une balade. Elle écoutait Pat Boone et mettait du *spray net* pour faire tenir ses cheveux bien en place. Quand on les touchait du bout du doigt, ils étaient durs comme la carapace d'un scarabée. C'est Mimi qui nous gardait lorsque nos parents sortaient. Une fois, Jean-Claude et Luc en ont profité pour courir après elle en l'aspergeant dudit *spray net*. On entendait les cris de la pauvre Mimi résonner dans la maison, son pas de course dans l'escalier pour échapper à ses assaillants.

Tu es sorti de ta chambre, furieux de ne pouvoir lire, avec tout ce tapage. Mimi pleurait, c'était le drame. Tu as obtenu une trêve, Jean-Claude et Luc sont descendus au sous-sol pour regarder un film de guerre, Mimi est allée s'enfermer dans sa chambre en sanglotant.

Fanfan, ma jumelle et moi sommes restés debout devant la porte de notre chambre, pieds nus et en pyjama, l'air un peu misérable.

— C'est le temps de vous coucher, as-tu dit, tâchant de mettre de la fermeté dans ta voix.

Fanfan t'a regardé avec ses grands yeux tristes.

— Dominique, raconte-nous une histoire.

Ton vrai prénom était Paul, mais tu le trouvais trop banal et tu exigeais que tout le monde t'appelle

Dominique. J'aimais bien ton prénom d'emprunt, il me rappelait la chanson de sœur Sourire : « Dominique, nique, nique, s'en allait tout simplement, routier, pauvre et chantant… »

Ce soir-là, tu nous as ramenés dans notre chambre et tu nous as raconté l'histoire de Monsieur Toki, un Japonais de Tokyo. C'était un géologue de profession dont la mission était de creuser un tunnel qui traverserait la Terre, de Tokyo jusqu'à Ottawa. D'après les calculs très savants qu'il avait établis, le tunnel aboutirait éventuellement dans notre jardin.

— Quand ? s'écria Fanfan, excité.

— Pas avant vingt ans, as-tu répondu, la mine grave.

— C'est bien trop long !

— La roche est très dure et, dans la Terre, la chaleur est presque insupportable. Mais si tu lui envoies des lettres d'encouragement, Monsieur Toki va travailler plus vite.

— Je sais pas écrire ! s'exclama Fanfan, au bord des larmes.

Tu as réfléchi un moment, puis tu as dit :

— J'ai son numéro de téléphone personnel. Je vais lui parler.

Tu t'es emparé du téléphone, tu as composé un numéro de vingt chiffres, nous expliquant que Tokyo étant à l'autre bout du monde, il fallait un long numéro de téléphone pour y rejoindre un habitant. Il y a eu un long silence, puis tu as commencé à parler.

— Monsieur Toki, c'est Dominique Gauthier à l'appareil. Comment allez-vous ? Et vos travaux ?

S'ensuivit une longue conversation où l'on apprit que Monsieur Toki avait déjà creusé trois cent cinquante milles. Il avait fait une rencontre inopinée avec un ver de terre géant, mais avait réussi à s'en débarrasser en lui jouant un air de pipeau.

— Le pipeau est utilisé pour charmer les rats, dit ma jumelle, sceptique.

— C'est vrai, mais ce ver de terre géant avait l'oreille musicale.

Fanfan voulut à tout prix parler lui-même à Monsieur Toki, mais tu lui as expliqué que Monsieur Toki était un grand timide, et qu'il valait mieux attendre qu'il appelle de son propre chef.

— Est-ce qu'il a notre numéro de téléphone ? interrogea Fanfan, anxieux.

— Oui, oui, ne t'inquiète pas.

À partir de ce moment, pas une journée ne passait sans qu'on te demande des nouvelles de Monsieur Toki. Un samedi matin, le téléphone a sonné, maman a répondu, puis elle a dit à Fanfan qu'un certain Monsieur Toki voulait lui parler. Elle avait du mal à réprimer son sourire.

— Monsieur Toki ! a crié Fanfan au téléphone.

— Comment allez-vous, li enfants ?

— Très bien ! Et vous, Monsieur Toki, vous construisez toujours votre tunnel dans la Terre ?

— Oui, mi c'i tli long, j'habite tli loin, ji dois cleuser des milles et des milles sous li terre pir vi rejoindre, avec une pelle et un pic à glace. Il y a beaucoup di roches tli dures et c'est tli chaud.

Il nous était venu à l'esprit qu'il y avait peut-être des façons plus pratiques pour Monsieur Toki de nous rendre visite, mais nous ne doutions pas du tout de son existence.

De fil en aiguille, tu es devenu l'organisateur en chef de tous nos jeux. L'hiver, on construisait des forts dont tu dessinais les plans. L'été, profitant de l'absence de papa, tu transformais le garage en maison hantée, suspendant au plafond des sorcières et des fantômes en chiffon. Une fois, papa est revenu à la maison plus tôt que d'habitude et a fait une colère parce qu'il ne pouvait pas rentrer sa voiture dans le garage. Il t'a traité de bonarien. Je ne savais pas ce qu'un bonarien mangeait en hiver mais, visiblement, ce n'était pas un compliment. Tu es devenu pâle et tu es parti sans dire un mot. Papa est retourné dans la maison avec sa tête des mauvais jours. Mimi m'a expliqué qu'il avait voulu dire « bon à rien », ce que j'ai trouvé injuste, vu que tu récitais du grec et du latin par cœur, tu lisais des livres d'au moins six cents pages imprimés en petits caractères, tu dessinais et tu écrivais des poèmes.

Je me rappelle, tu portais toujours un pantalon et un col roulé noirs, tes cheveux étaient assez longs et bouclés, comme ceux du poète Nelligan. Mimi m'a affirmé que tu étais un beatnik : tu écoutais du jazz, tu vénérais Jack Kerouac, tu dormais le jour et tu vivais la nuit, et tu broyais du noir. J'ai cru que tu grugeais des mines de crayon, comme je le faisais parfois. Mimi a souri devant mon ignorance :

— Ça veut dire être pessimiste.

Je me suis mise à pleurer, m'étant imaginée que tu étais atteint d'une maladie incurable. Tu as souri quand je t'ai fait part de mon inquiétude :

— Le pessimisme est une sorte de maladie, mais on n'en meurt pas.

Monsieur Toki, contrairement à toi, était un optimiste à tout crin. « À force de cleuser et cleuser, ji vi finir par parvenir à destination », nous disait-il au téléphone. Chaque jour, après l'école, Fanfan, ma jumelle et moi allions dans le jardin, au pied du pommier, où le tunnel de Monsieur Toki devait aboutir. Un jour, prise de curiosité, j'ai monté l'escalier, je me suis arrêtée devant la porte de ta chambre légèrement entrouverte et je t'ai vu à travers l'interstice, penché au-dessus du téléphone, le combiné collé à l'oreille :

— Ji mi rappoche di vous, li enfants, ji cleusé huit mille milles.

J'avais le cœur gros, comme quand j'ai vu maman déposer une dent de lait que j'avais perdue sous mon oreiller et que j'ai compris que la fée des dents n'existait pas. Je me suis bien gardée d'éventer mon secret à Fanfan et à ma jumelle, sentant que leur déception alourdirait la mienne.

Les initiales

Chaque semaine, papa nous rapportait une pile de livres de sa librairie, des invendus. J'aimais leur odeur d'encre quand on les ouvrait, la forme des caractères, les couleurs vives des jaquettes. Papa nous avait expliqué que plus le papier était épais et plus il y avait de pages blanches au début, plus un livre était de qualité.

— Pourquoi des pages blanches ? demanda Fanfan. C'est du gaspillage.

— Pour en mettre plein la vue au lecteur : « Voyez, nous ne sommes pas chiches, vous avez plus de pages pour le même prix. »

Fanfan le regarda, la mine dubitative.

— Pourquoi ne pas écrire quelque chose, tant qu'à avoir des pages blanches ? Là, les gens en auraient pour leur argent.

Papa renonça à lui expliquer. Fanfan était dans sa période « Pourquoi ? », ça pouvait durer des heures.

Parfois, il nous emmenait faire un tour à sa librairie. C'était impressionnant, tous ces livres neufs alignés contre les murs, le tintement de la caisse et surtout, Madame Sénécal, la gérante, qui trônait derrière son comptoir, surveillant les allées et venues du personnel et des clients du haut de ses lunettes pointues. Les employés s'adressaient à elle en penchant la tête, comme s'ils craignaient d'être réprimandés. Même papa semblait intimidé par elle. Après chaque visite, il disait :

— Elle a une poigne de fer, mais elle est aussi aimable qu'une porte de prison.

Le bureau de papa, situé au fond du magasin, sentait les livres et l'encaustique. J'ai appris le mot *encaustique* dans les livres de la comtesse de Ségur. J'éprouvai une sympathie immédiate pour Sophie, qui se met toujours les pieds dans les plats — en l'occurrence, dans la chaux. J'avais trouvé bien cruel que sa mère l'oblige à porter les débris d'un insecte autour de son cou pour la punir de l'avoir coupé en morceaux. Mais ce n'était rien à côté des autres malheurs qui l'attendaient : sa mère meurt dans un naufrage, son père se remarie avec Madame Fichini, une mégère qui a cependant le mérite d'être la veuve d'un homme très riche. Le père de Sophie meurt à son tour, la mégère règne et bat la pauvre Sophie comme plâtre.

À l'instar de Madame Fichini, papa avait la tête près du bonnet. On ne savait jamais quand le bonnet allait sauter. Il avait plusieurs degrés de colère, comme les vitesses de la MG de Mimi. Le plus souvent, sa colère s'exerçait sur les objets. Quand ce n'était pas le moteur de sa voiture, qui brûlait en laissant une grosse fumée noire s'échapper du capot (il négligeait de faire vidanger l'huile, ce qu'il n'aurait pas admis pour un empire), c'était la porte du garage, qui ne s'ouvrait plus. Ou encore la tondeuse qui s'enrayait, sa lame de rasoir qui le coupait, et jusqu'à l'arbre de Noël qui faisait exprès de tomber quand il tentait de le faire tenir dans un socle de mauvaise qualité qu'il refusait obstinément de changer, sous prétexte qu'il était encore bon. Il n'admettait pas que c'était son impatience qui lui causait autant d'ennuis, et que les objets n'en étaient pas la cause, mais l'effet. Nous avions cependant pris l'habitude de le voir se débattre chaque jour contre cette révolte des choses, et maugréer des jurons entre ses dents, ce qui créait une tension légère mais perpétuelle, comme le bourdonnement d'un pylône électrique.

Il croyait parfois aux vertus des châtiments corporels. J'écris « parfois », car il y recourait rarement. Mais quand ça lui arrivait, il n'y allait pas avec le dos de la cuillère. Une fois, c'était parce que j'avais gravé les initiales de ma jumelle sur la chaise de capitaine en chêne qui était dans son bureau, à la maison. Bien sûr, on n'avait pas le droit d'y entrer sans permission, mais j'étais fascinée par l'immense bibliothèque sur laquelle trônait sa collection de pipes en écume, en bois sculpté ou en céramique aux couleurs bigarrées qu'il ramenait de ses voyages. Il y avait même un calumet qui lui avait été donné par une réserve indienne à qui il avait fait un don de livres pour son école. Je grimpais sur une chaise, je choisissais une pipe différente chaque fois, et faisais semblant de la fumer. Mais je n'aimais rien autant que de prendre un livre, au hasard, de le feuilleter, de regarder les images lorsque, par chance, il y en avait.

Ce soir-là, j'avais choisi un livre doré sur tranche. Je l'ai déposé sur le pupitre, je l'ai ouvert lentement, consciente que j'étais en train de commettre un délit. J'ai aperçu des gravures sur lesquelles étaient dessinées des pierres tombales d'où sortaient à moitié des corps nus tordus de douleur et une fumée qui montait en volutes blanches dans le ciel sombre. Je n'avais pas peur, mais je voyais bien que ces hommes et ces femmes souffraient. Je me suis soudain revue couchée dans une tente à oxygène, j'étouffais, j'entendais des râles, je me suis imaginée qu'un animal était pris au piège dans la tente avec moi, je me suis rendu compte que les râles venaient de ma propre gorge. J'entrevois, à travers un pan entrouvert de la tente, les visages anxieux de nos parents, puis la main du docteur Beaulieu, qui referme la tente d'un mouvement sec. Tout disparaît. Puis je me revois dans les bras de papa, il court dans un couloir, il ouvre la porte de la salle de bains, une vapeur blanche en sort, mon père me tient toujours dans ses bras, il referme la porte. J'aperçois le visage angoissé de maman. J'entends le mot *croup,* mystérieux et inquiétant. Un appareil crache de la vapeur comme le souffle d'un dragon. La baignoire est remplie d'eau glacée, je veux crier, je ne comprends pas pourquoi ces tortures, mais aucun son ne sort de ma bouche. Je sens confusément que c'est peut-être cela, mourir.

J'ai refermé le livre. Un léger tremblement me parcourait l'échine. Qu'un objet inanimé et inoffensif pût receler un tel pouvoir d'évocation me plongea dans l'émerveillement et l'angoisse. C'est toi, cher Dominique, qui m'as appris plus tard que la gravure qui m'avait tant impressionnée était de Gustave Doré et représentait l'un des cercles de l'Enfer de Dante.

Debout sur la chaise de capitaine, j'ai remis le livre en place, puis j'ai aperçu un coupe-papier sur le pupitre. Sans réfléchir, je l'ai pris et j'ai gravé les initiales de ma jumelle sur la chaise, comme celles d'amoureux gravées sur un rocher ou sur l'écorce d'un arbre pour inscrire les sentiments dans la durée.

Le lendemain, papa s'est rendu compte du méfait et a cru que c'était ma jumelle qui en était l'auteur, vu que c'étaient ses initiales. Rouge de colère, il a pris sa grosse voix et l'a fait venir dans son bureau. Elle a nié, il s'est fâché encore plus. Maman a tenté d'intervenir, il l'en a empêchée.

— Il faut qu'elle ait sa leçon.

Il a pris ma jumelle par le bras, l'a tirée vers lui et, malgré ses cris et ses gigotements, lui a administré une fessée. Elle pleurait. J'ai fait un mouvement vers elle, maman m'a retenue. Je me suis tournée vers elle, révoltée.

— Mais c'est pas-t-elle !

La mauvaise liaison fut provoquée par un trop-plein de désespoir. Pour une fois, j'en voulus très fort à maman, je ne comprenais pas qu'elle laisse ma jumelle se faire punir à ma place. Plus tard, quand l'orage fut passé, elle m'a prise à part et m'a dit, très doucement :

— À quoi ça aurait servi que vous soyez punies toutes les deux ? C'était déjà assez d'une.

J'essayai de comprendre, mais c'était difficile. Bien plus difficile qu'*et cætera.*

Une autre fois, c'est Luc qui a été puni. Je ne sais plus pour quelle raison, peut-être avait-il pris la MG de Mimi ou la Buick de papa sans demander la permission. Papa adorait Luc, il se montrait la plupart du temps d'une grande indulgence avec lui, mais parfois, sans crier gare, il décidait d'exercer son autorité paternelle et de mettre en pratique l'affreux adage : *Qui aime bien châtie bien*.

En allant dans ma chambre pour y chercher un livre, j'ai vu Luc debout dans la sienne. Papa était derrière lui et lui assénait des coups avec sa ceinture. Luc pleurait en silence. Leurs silhouettes se découpaient à contre-jour, on aurait dit des ombres chinoises. Dans mon « fort » intérieur (j'écris *fort* parce que je me sens parfois enfermée à l'intérieur de moi comme dans un fort, quand des choses difficiles ou incompréhensibles arrivent), je savais que Luc n'était pas en danger, mais le sifflement de la ceinture, ses larmes, les marbrures livides sur son dos, le visage empourpré de papa, le soleil qui blanchissait la chambre et l'isolait du reste du monde, tout cela était chargé d'une violence intolérable. J'ai voulu appeler, c'était comme dans ces rêves où l'on tente de crier mais qu'aucun son ne sort de notre bouche. J'ai rebroussé chemin en essayant de ne pas faire craquer la sixième marche de l'escalier.

Cette nuit-là, j'ai rêvé que toute la famille était assise autour de la table de la cuisine. La table devient de plus en plus rouge, elle se transforme en braises, commence à noircir les assiettes, à brûler les serviettes de table. J'essaie d'alerter maman : « Attention, attention, la table brûle ! » Mais elle me sourit comme si de rien n'était, elle ne semble pas être incommodée par la chaleur et l'odeur âcre de la fumée. Papa est assis au bout de la table, son teint rouge contraste avec ses cheveux sombres, et de petites cornes lui poussent sur la tête, comme le diable dans l'histoire de Rose Latulippe, la jeune fille qui aimait trop danser et qui finit en petit tas de poussière parce qu'elle avait dansé toute la nuit avec un beau cavalier tout de noir vêtu, et qu'elle ne s'était pas rendu compte que c'était Satan en personne, la pauvre.

C'est comme ça qu'on est heureux

Tous les dimanches, papa cirait nos chaussures et les déposait au pied de nos lits. C'est aussi lui qui nous emmenait à l'école chaque matin dans sa Buick. Il conduisait sa voiture comme il menait sa vie, sans prévoir les obstacles, et arrêtait toujours brusquement au feu rouge, comme s'il venait tout juste d'en découvrir l'existence. Il invectivait entre ses dents le chauffeur qui le précédait, prétendant que c'était sa faute s'il avait été obligé de freiner. Quand il était vraiment très fâché, il disait « maudit enfant de chienne » au type, ce que je ne trouvais ni gentil pour les enfants, ni pour les chiennes, ni pour le type. Au début, ces arrêts et départs saccadés nous donnaient un peu mal au cœur, mais on a fini par s'habituer.

Papa allumait toujours la radio – les Joyeux Troubadours chantaient « C'est comme ça qu'on est heureux » –, ou bien il écoutait de la musique tzigane. Plus les violons lyraient, plus papa était ravi. Parfois, il fredonnait l'air en même temps que la radio. Il chantait faux, mais semblait tout à coup de bonne humeur, ce qui ne lui arrivait pas souvent. Une fois arrivés à l'école, il attendait qu'on soit à l'intérieur avant de repartir, pour être bien certain qu'on ne se fasse pas kidnapper. Il nous mettait parfois en garde contre les bandits qui enlèvent les enfants pour les revendre comme esclaves dans des pays étrangers, ce qui agaçait maman :

— Voyons, quel genre d'idées tu vas leur mettre dans la tête !

— Si jamais nos enfants se font enlever, tu ne pourras pas dire que je les avais pas avertis !

C'était curieux, sa manie d'imaginer des menaces improbables et de ne pas voir celles, bien réelles, qu'il faisait régner dans sa propre maison.

Les fins de semaine, vantant les mérites du bon air et de la marche pour la santé, papa nous emmenait faire des balades dans le parc de la Gatineau, très joli mais infesté de maringouins qui semblaient être plus gros là qu'ailleurs ; d'autres fois, c'était aux chutes du canal Rideau ou au lac Dow. Les expéditions les plus mémorables étaient à Sainte-Agathe, chez les Thibodeau. Tu te rappelles leur chalet ? Il était en bois rond, ceinturé d'une longue véranda surplombant le lac. Un soir de pleine lune, alors que je regardais le reflet du chalet sur le lac à travers une fenêtre de la véranda, le nez collé sur la moustiquaire, j'eus soudain l'impression que j'étais la lune, que j'étais le lac, la moustiquaire n'était qu'un obstacle imaginaire. Je n'avais qu'à allonger le bras pour atteindre la lumière argentée. C'est sans doute cela, l'enfance, ce sentiment d'éternité, le nez collé sur la moustiquaire d'un chalet en bois rond, l'été. On s'installait pour la nuit dans des lits de camp collés les uns contre les autres dans de petites chambres fermées par des portes accordéon, et on s'endormait au son rassurant des conversations des adultes et du chant des grillons.

Les retours à la maison étaient toujours un vif déchirement. Nous pressentions déjà que le bonheur se prend par petites bouffées, parenthèses fugaces et lumineuses dans le flot des devoirs, des menus plaisirs et des peines qui composent la vie des enfants. Notre seule consolation, à ma jumelle et à moi, c'était de nous installer côte à côte sur le siège arrière de la Buick, et de compter les mouches à feu qui s'allumaient et s'éteignaient sur le ruban de la route qui filait à toute vitesse dans la nuit. On finissait par s'endormir, nos têtes appuyées l'une contre l'autre, bercées par le ronron du moteur. Une fois à la maison, papa nous enroulait dans une couverture et nous transportait chacune notre tour jusque dans notre lit pour ne pas nous réveiller. Je faisais semblant de dormir, juste pour être dans ses bras le plus longtemps possible.

Les orages

De temps en temps, on rendait visite à Madame K, la dame qui portait ses cheveux coiffés très haut sur la tête. Elle nous donnait des chocolats en forme de père Noël ou des œufs de Pâques, selon l'occasion, et des gâteaux forêt-noire, comme ses cheveux. Elle approchait un peu trop son visage du nôtre quand elle nous parlait. Elle appelait Fanfan « John John », du nom du fils de JFK, parce qu'elle trouvait qu'il lui ressemblait tellement. Son mari était parfois présent. Je ne sais pas si tu l'as connu, un type très grand, maigre et moustachu, les cheveux plaqués sur la tête. Il portait un habit et un nœud papillon trop serré. Il souriait beaucoup mais avait l'air malheureux comme les pierres. J'ai compris où papa avait eu la piqûre de la musique tzigane : Madame K en raffolait, elle en mettait à tue-tête, papa chantait, devenait un peu plus rouge avec chaque verre d'un liquide transparent qui ressemblait à de l'eau mais qui faisait son petit effet, et Monsieur K souriait de plus en plus, l'air de plus en plus malheureux. Au début, maman nous accompagnait à ces visites. À un moment donné, elle a cessé de venir.

Lorsque je lui en ai demandé la raison, elle m'a répondu, l'air faussement détaché :

— La musique tzigane me tape sur les nerfs.

Papa avait beau jouer les jolis cœurs avec Madame K, il n'en tenait pas moins à préserver les apparences. Les soupers de famille étaient un rituel incontournable. Chacun avait une place assignée autour de la table de cuisine. Tu étais assis entre Jean-Claude et Luc, mais ta chaise était souvent vide. Je t'imaginais faisant des promenades solitaires, ou bien assis dans un café, une cigarette à la main, en train de lire. Papa, un soir que tu étais arrivé au beau milieu du repas, t'a accusé de fréquenter des *péripatéticiennes*. Sur le moment, j'ai cru qu'il s'agissait de magiciennes. Mimi m'a expliqué plus tard que papa voulait dire « des femmes de mauvaise vie », ce qui n'a pas tellement éclairé ma lanterne.

Après le souper, papa s'offrait souvent pour essuyer la vaisselle, ce qui peut paraître un signe d'évolution, à une époque où les tâches ménagères incombaient généralement aux femmes. En fait, il en profitait pour se disputer avec maman, croyant que le ruissellement de l'eau et le cliquetis des assiettes couvriraient leurs éclats de voix. Ma jumelle et moi allions alors nous asseoir dans l'escalier. Nous tâchions de ne pas entendre, mais l'atmosphère était chargée d'électricité, comme si un orage s'apprêtait à éclater. Mimi nous avait appris à évaluer la proximité de la foudre en comptant à partir du premier éclair : un, deux, trois… Plus le compte était court entre le premier éclair et le bruit du tonnerre, plus la foudre était proche. Quand les chicanes de nos parents étaient bénignes, on pouvait compter jusqu'à vingt avant d'entendre un éclat, d'autres fois, le compte était bien plus rapproché.

Plus le compte était rapproché, plus maman avait mal à la tête. On entrait alors dans la chambre de nos parents à pas de loup. J'apportais la bouteille d'aspirines, ma jumelle un verre d'eau et Fanfan une débarbouillette glacée. Nous lui tendions à tour de rôle ces remèdes selon un rituel immuable, elle nous souriait, mais ce n'était pas son sourire fendu jusqu'aux oreilles, c'était un sourire faible, un rayon de soleil qui tente de percer de gros nuages. Ma jumelle lui mettait consciencieusement la débarbouillette sur le front, et on se relayait pour la rafraîchir. On avait une mine grave mais on tâchait de cacher notre anxiété, comme de petits médecins surveillant leur patient pour détecter le moindre signe de retour à la santé. Le lendemain, on éprouvait un vif soulagement de la voir à nouveau souriante, comme une neuve, prête à porter le monde sur ses épaules.

Un soir, pendant un souper particulièrement orageux, Jean-Claude nous a annoncé qu'il avait décidé de quitter la maison pour s'inscrire à un collège militaire. Maman a pleuré. Papa, contre toute attente, a paru soulagé :

— Un peu de discipline, ça te fera pas de tort.

Tu étais là, pour une fois. Tu t'es levé et tu as dit à Jean-Claude :

— Si tu veux apprendre à tuer ton prochain, ça te regarde.

Alors que tu faisais mine de sortir, papa t'a interpellé :

— Au moins, il passera pas ses journées à rien faire, comme quelqu'un que je connais.

J'ai vu ton poing se crisper sur ta cuisse. Puis tu es parti sans dire un mot. Tu es revenu très tard cette nuit-là, j'ai entendu ton pas dans l'escalier, le craquement de la sixième marche, le grincement de ta porte. Peut-être étais-tu allé voir une péripatéticienne.

*

Quelques mois après le départ de Jean-Claude pour le collège militaire, ce fut le tour de Mimi de quitter la maison. Ce n'était pas pour s'engager dans l'armée, mais pour se marier. J'étais triste à l'idée que Mimi s'en aille, même si Jean, un homme mince aux lunettes sévères mais au sourire engageant, me semblait digne d'elle. Je l'ai quand même mise en garde contre les dangers du mariage, entre autres l'étrange coutume dont j'avais été témoin au mariage d'une cousine et qui consistait à frapper les verres avec un ustensile pour obliger les mariés à s'embrasser. L'oncle Lionel avait été le plus assidu, à tel point qu'il avait brisé son verre à force de cogner dessus. Un éclat avait pénétré dans sa paume, il saignait comme un bœuf, on a dû le transporter d'urgence à l'hôpital. Maman m'a raconté qu'à l'enterrement de vie de garçon de son frère Georges, Lionel a failli le noyer en lui plongeant la tête dans une baignoire remplie de boue.

Heureusement, le mariage de Mimi s'est déroulé sans encombre, et lorsque Lionel, avec son sourire chevalin, a fait mine de frapper sur son verre, maman l'a foudroyé du regard et lui a dit, avec le ton poliment ironique qu'elle réservait aux imbéciles :

— Cher Lionel, ils auront toute leur vie pour s'embrasser.

Mimi lui lança un regard reconnaissant. Sa chevelure en forme de tulipe à l'envers était couverte d'un léger voile blanc, elle baissait parfois les yeux, comme pour garder un peu de sa joie pour elle. Papa a essuyé une larme pendant la cérémonie. Maman avait son sourire fendu jusqu'aux oreilles en sortant de l'église, mais elle a avoué plus tard à Mimi qu'elle n'avait jamais été aussi malheureuse.

Chambre à part

Noël approchait à grands pas. Papa a fait venir un photographe à la maison et a exigé que tout le monde se mette sur son trente et un. Je croyais qu'il fallait se tenir debout sur un chiffre, mais maman m'a expliqué que ça voulait dire porter ses plus beaux habits. Papa avait revêtu une redingote, maman sa belle robe rouge, ma jumelle et moi avions deux robes identiques vert pomme, Fanfan un habit en velours bleu royal. Toute la famille s'est disposée en rang d'oignons devant la cheminée : les plus petits devant, les plus grands derrière, nos parents en avant-plan, assis avec majesté sur un récamier. Jean-Claude, qui passait son congé à la maison, arborait pour l'occasion son costume militaire, rouge et or, avec un drôle de képi rond perché sur le côté de sa tête. Mimi avait profité d'un congé universitaire pour nous rendre visite. Il n'y a que toi qui manquais à l'appel. Papa a fait tout un plat quand il a constaté ton absence.

— Il ne fait jamais rien comme les autres, celui-là !

Le photographe s'est placé devant nous, a dit « *Cheese* », le flash a crépité, Fanfan a éternué au même moment, salissant son col de velours. Maman est partie avec lui dans la salle de bains pour réparer les dégâts.

À leur retour, après quelques essais infructueux, le photographe a réussi à prendre une photo à peu près convenable. Elle fut imprimée sur des cartes de souhaits avec la mention « Joyeux Noël et bonne année de la part de la famille Gauthier » inscrite en lettres argent, et envoyée à toute la bonne société d'Ottawa. Elle figure en bonne place dans notre album de famille. L'image même du bonheur familial.

Quelques jours après la venue du photographe, maman a décidé de changer les meubles de place. C'était une manie aussi inexorable que les changements de saisons. D'habitude raisonnable et posée, elle devenait autoritaire et donnait des ordres à tout un chacun : déplace la commode, aide-moi à tourner ce fauteuil... Des fois, c'était le salon, d'autres fois, la salle à manger, qui passaient à la moulinette. Une fois les meubles déplacés, elle se plantait au milieu de la pièce, observait les résultats :

— C'est bien mieux comme ça, vous ne trouvez pas ?

La plupart du temps, on ne remarquait même pas de différence. Elle insistait :

— Mais oui, regardez comme il faut... La petite table, elle était dans le coin gauche, je l'ai replacée un peu plus à droite.

On approuvait le changement pour lui faire plaisir. J'avais du mal à comprendre cette passion aussi soudaine qu'impérative. C'était peut-être tout simplement pour se donner l'illusion de la nouveauté, quand elle étouffait sous les tâches quotidiennes et la haute tension que faisait régner papa.

Ce samedi-là, le changement de meubles fut différent des autres. Elle l'avait fait la veille, en catimini, sans demander l'aide de personne. En allant retrouver nos parents dans leur chambre, on a vu papa tout seul dans le lit conjugal.

— Où est maman ? demanda Fanfan, qui n'aimait rien autant que de se coucher entre les deux, parce qu'il était frileux mais surtout parce qu'il avait peur, tout seul, la nuit, et était rassuré de retrouver le matin la chaleur et l'odeur de foin coupé du lit de nos parents. Papa était rouge d'embarras.

— Dans la chambre de Jean-Claude. Elle a mal à la tête.

Nous sommes allés sur-le-champ dans la chambre qu'avait occupée Jean-Claude avant son départ pour le collège militaire. Maman, en robe de nuit, était en train de refaire le lit simple. Elle avait remplacé la vieille commode de Jean-Claude par son chiffonnier, qui contrastait avec l'allure spartiate de la pièce. Mon petit frère s'approcha d'elle.

— Veux-tu des aspirines et une *barbouillette* d'eau froide ?

— Non merci, Fanfan, j'ai pas mal à la tête.

Nous avons échangé un regard dubitatif, comme Bob Morane et Bill Ballantine, lorsqu'ils se trouvent dans une situation imprévue, ce qui leur arrive plus souvent qu'à leur tour. Maman, fine mouche, remarqua notre embarras. Elle nous fit asseoir sur le lit.

— J'ai décidé de faire chambre à part.

Autre regard dubitatif. Elle nous expliqua patiemment :

— Votre père et moi, on ne dormira plus dans le même lit.

Fanfan fut vraiment pris de court :

— Comment je vais faire pour aller vous retrouver dans votre lit, si vous n'êtes plus dans le même ?

— Tu pourras nous rejoindre dans notre lit chacun à tour de rôle.

Fanfan n'a pas répondu, il était à moitié rassuré, mais semblait se dire que c'était mieux que rien. Ma jumelle et moi lui avons demandé en même temps :

— Pourquoi vous voulez plus dormir ensemble ?

C'était le tour de maman d'être embarrassée. Elle a mis ses gants blancs :

— C'est difficile, entre votre père et moi, ces temps-ci. On a besoin de prendre nos distances.

Prendre nos distances. Pour en avoir le cœur net, ma jumelle et moi avons cherché le mot *distance* dans le dictionnaire : *Distance entre deux lieux. Longueur qui sépare une chose d'une autre*. Au fond, on n'avait pas besoin de ces définitions pour comprendre qu'il y avait de l'eau dans le gaz.

Le lancement

Peu de temps après ces événements, maman nous annonça qu'elle avait été invitée à un lancement de livres à Montréal et qu'elle partait pour quelques jours. À cette époque, j'étais convaincue qu'on lançait littéralement les livres pendant ces événements. Amusée à l'idée d'être témoin de cette étrange coutume, voire d'y participer, je me mis en tête de l'accompagner. Elle m'expliqua qu'elle devait y aller seule, ayant des choses importantes à régler. Je voulais tellement faire ce voyage que le soir, avant de me coucher, j'ai déposé un mot sur son oreiller. Maman l'a gardé, comme tous nos dessins d'enfants, nos vieux bulletins et nos poèmes pour la fête des Mères. C'est son côté sentimental.

Chère maman,

J'aurais temps voulu allé avec toi à Montréal. Les choses ne se fait jamais comme on veux. Est-ce que se serait possible? Même si j'ai un peu mal au cœur dans l'autobus. Je t'adore maman.

J'ai dû avoir le tour, dans mon petit mot, car malgré les fautes de français, maman a décidé de m'emmener avec elle. Papa nous a reconduites au terminus d'autobus. Pour une fois, la radio était éteinte, il ne fredonnait pas, il avait les dents si serrées qu'on les entendait presque grincer. Ses arrêts et départs étaient encore plus brusques qu'à l'accoutumée.

Une fois à la gare, il a dit, sans nous regarder :

— Bon voyage.

Et il est reparti sur les chapeaux de roue.

— Qu'est-ce qu'il a, papa?

— Il n'est pas content que j'aille à Montréal sans lui.

— Pourquoi?

— Il est jaloux.

— Ça veut dire quoi, jaloux?

— C'est des histoires de grande personne.

Une fois installées dans l'autobus, maman m'a expliqué que ce n'était pas juste pour assister à un lancement qu'elle faisait ce voyage, mais pour trouver un logement. Je l'ai regardée sans comprendre.

— Un logement? Pour qui?

Elle m'a expliqué qu'elle et papa n'étaient pas heureux, et qu'elle avait pris la décision de se séparer.

Voyant que j'étais silencieuse, elle a cherché à me rassurer :

— Des fois, on peut s'aimer et ne plus pouvoir vivre ensemble.

Une grosse frousse m'a serré le cœur, comme quand on se penche au-dessus d'un précipice et qu'on a le vertige.

— Et nous, où on va aller ?

— Avec moi, voyons, ma pauvre chouette.

Elle m'a prise dans ses bras. Le précipice avait disparu.

— J'en ai pas encore parlé à ton père. C'est un secret entre toi et moi.

J'ai été envahie par un vague malaise. Pas tant parce que maman me demandait de garder un secret. Je comprenais, dans mon « fort » intérieur, qu'elle ne veuille pas fâcher papa encore plus, étant donné les circonstances, mais c'était la première fois que je savais quelque chose que ma jumelle ne savait pas. C'est à ce moment précis que j'ai vraiment eu conscience qu'on était deux personnes distinctes.

*

Le logement était situé sur la rue Maplewood, tout près de l'Université de Montréal, en face de la montagne. L'immeuble était un peu décati. Une pancarte « À louer » avait été placée sur le balcon du deuxième étage, à droite.

— C'est joli. Il y a un arbre devant l'immeuble, et un balcon où on pourra prendre l'air, l'été, dit maman, enthousiaste.

À l'intérieur, l'escalier était propre mais sombre, la peinture s'écaillait ici et là. Mais maman était si gaie, rien ne pouvait entamer sa bonne humeur. On s'est immobilisées devant la porte numéro 3. Maman a sonné. Après un long moment, la porte s'est entrouverte, on entendait le cliquetis de la chaîne, une femme en bigoudis a glissé la tête dans l'embrasure, l'air méfiant :

— Bonjour, madame. C'est pour visiter votre logement.

— Je vous connais pas.

La femme a fait mine de refermer la porte. Maman a insisté :

— Louise Gauthier. On s'est parlé au téléphone, il y a deux jours.

— Je me rappelle pas. Je laisse jamais des étrangers entrer chez moi, y a eu des vols dans le quartier.

Maman est revenue à la charge, ironique :

— Ne vous inquiétez pas, madame, je ne suis pas une voleuse, je suis une mère de famille qui cherche un logement.

La femme a refermé brusquement la porte. On est reparties, un peu piteuses.

— Qu'est-ce qu'on va faire ?

Maman a réfléchi un petit moment, puis a dit, l'air décidé :

— On va louer l'appartement quand même.

— On l'a pas visité !

— Ça fait rien, je suis certaine qu'il va être parfait.

Pas très logique, pour une personne pleine de bon sens comme notre mère, mais elle devait avoir ses raisons. Pour fêter sa décision, elle m'emmena au Bouvillon, un chic restaurant français du quartier. Elle me déclara que j'avais le droit de prendre ce que je voulais sur le menu. J'ai choisi des escargots, par curiosité. J'en avais vu souvent dans le jardin, et j'avais du mal à imaginer qu'on puisse les manger. Je t'avoue que j'ai été soulagée de voir ces gastéropodes servis dans leur coquille, ça m'évitait de les voir de trop près. Maman m'a montré comment utiliser la fourchette et la pince, mais à mon premier essai, la coquille a glissé sous la pince et a été projetée à l'autre bout du restaurant. Maman a ri devant mon air dépité. Elle était si heureuse, elle avait son sourire des beaux jours.

— Il n'y aura plus d'orages entre toi et papa ?

Elle m'a regardée avec gravité :

— Non ma chouette, il n'y aura plus d'orages.

On s'est ensuite rendues au fameux lancement en taxi. J'ai compris que les livres n'étaient pas lancés littéralement, ce qui m'a déçue, tu t'en doutes bien. Il y avait beaucoup de gens qui parlaient très fort, de la fumée de cigarette qui montait en volutes blanches comme dans la gravure de Gustave Doré, une odeur aigre de cidre. Après, maman m'a ramenée chez nos grands-parents. Grand-mère, d'habitude si bienveillante, nous a accueillies avec une brique et un fanal.

— En tout cas, compte pas sur moi pour t'aider à faire tes folies.

Maman m'a laissée chez les grands-parents tandis qu'elle se rendait au bureau du propriétaire pour signer le bail. En attendant son retour, je suis allée jouer dans la cave pleine de trésors : de vieux tissus, des calendriers jaunis, toutes sortes d'objets hétéroclites. Grand-papa, de retour du travail, est venu me rejoindre et a ouvert des noix de Grenoble avec son casse-noisettes. Il m'a dit gentiment, en cherchant ses mots :

— T'en fais pas, ma petite fille, même si tes parents s'adonnent pas toujours, ils s'aiment pareil.

Je ne voulais pas qu'il s'inquiète. Je lui ai resservi la phrase de maman :

— Des fois, on peut s'aimer et ne pas être heureux ensemble.

Il m'a regardée, déconcerté. Pour lui, la vie était simple : il se levait à l'aube, travaillait jusqu'au souper, se couchait tôt. Il n'avait pas beaucoup de temps pour l'amour et les disputes. À l'époque, il conduisait des tramways. Il était d'une gentillesse proverbiale, aidait les dames à descendre, annonçait joyeusement le nom des rues, saluait les passagers, même les plus revêches. Avant, il était contrôleur chez CP Rail, et comme il est bel homme, grand-maman n'aimait pas le laisser voyager seul, craignant des rencontres inopinées avec des voyageuses sans scrupules. Il n'était sûrement pas insensible aux hommages des dames, même celles sans scrupules, mais il avait un profond sens du devoir et se passionnait davantage pour les trains, les voitures, les enfants et les chevaux. Il accepta tout de même de changer d'emploi, pour acheter la paix, disait maman.

Cet après-midi-là, il m'a emmenée faire un tour à l'écurie. Crois-le ou non, elle existe toujours, au coin de l'avenue de Lorimier, une curiosité dans le paysage urbain. Il y a encore quelques chevaux de trait, un hangar poussiéreux où reposent les carcasses de calèches et de carrioles abandonnées, et un enclos où l'on garde des poules. Je me suis rappelé une photo où toi, Mimi et Jean-Claude étiez installés dans une carriole, emmitouflés dans une couverture de laine. Grand-papa tenait le cheval par la bride. Tu avais six ou sept ans, tu regardais directement dans l'objectif, l'air grave, presque solennel, et tu avais mis une main sur l'épaule de Jean-Claude, comme pour le protéger contre les dangers du monde.

Le taudis

À notre retour à Ottawa, papa nous attendait au terminus, non pas avec une brique et un fanal, mais avec un bouquet de fleurs à la main. Maman a pris le bouquet sans dire un mot.

Dans la voiture, papa fredonnait, la radio était allumée, ce n'était pas un air tzigane mais des voix qui parlaient sans arrêt. Il fredonnait tout de même, cherchant à remplir l'air de bruit pour ne plus penser. Soudain, il a éteint la radio, l'air sombre.

— Comment s'est passé le lancement ?

— Très bien.

— Qui était là ?

Elle haussa les épaules.

— La faune habituelle.

— Ton amant ? dit-il, sarcastique.

Elle eut tout à coup l'air très fatigué.

— Tu sais bien que non.

— C'est quoi, un amant ? demandai-je.

Maman se tourna vers papa, mécontente. Il se mordit les lèvres. Un silence lourd s'installa dans la voiture.

Une fois à la maison, maman me jeta un regard entendu voulant dire « n'oublie pas notre secret ». Ma jumelle s'est précipitée vers moi, on s'est embrassées comme si on ne s'était pas vues depuis un siècle. J'avais beau me répéter dans mon « fort » intérieur de garder le secret, je sentais bien que je ne résisterais pas longtemps à ma jumelle, qui me posait mille et une questions sur notre périple. Je lui racontai les événements qui ne risquaient pas d'éventer le secret : le lancement où l'on ne lance pas les livres, les coquilles d'escargots qui volent, la visite à l'écurie, la dame avec des bigoudis et un filet sur... Je m'interrompis soudainement. Ma jumelle me scruta avec curiosité :

— Quelle dame ?

— Une... une dame qu'on a rencontrée sur la rue.

— Quelle rue ?

— Maplewood.

— Qu'est-ce que vous faisiez là ?

Ma jumelle menait les interrogatoires avec la pugnacité d'un agent du KGB. Je me résignai donc à lui dire que nos parents allaient se séparer, qu'on habiterait tous ensemble dans un logement à Montréal. Il n'y aurait plus de disputes. Soudain, on a entendu des éclats de voix, on n'a même pas eu le temps de compter jusqu'à deux... boum ! un seul éclat. C'était un gros orage.

— Je laisserai pas mes enfants vivre dans un taudis ! Je vais te traîner en cour !

— C'est quoi un *todi ?* demanda Fanfan, qui venait d'entrer dans notre chambre, effrayé.

J'ouvris le *Larousse*. Pas de *todi*. Ma jumelle me suggéra de chercher dans les *tau*. Je le trouvai :

— Taudis : logement misérable qui ne satisfait pas aux conditions de confort et d'hygiène indispensables.

Ma jumelle et Fanfan étaient troublés. Je les rassurai comme je pus :

— Maman nous emmènerait pas vivre dans un taudis.

Je ne leur ai pas dit qu'on n'avait pas pu visiter le logement à cause de la dame en bigoudis. Je décrivis avec lyrisme les balcons, l'arbre, le petit jardin derrière l'immeuble où l'on pourrait jouer, la montagne en face. Ma jumelle me regarda, suspicieuse :

— C'est comment, à l'intérieur ?

J'avais du mal à soutenir son regard. Je balbutiai :

— C'est… C'est grand. Il y a plusieurs chambres.

Ma jumelle ne me lâchait pas des yeux.

— T'es rouge comme une pivoine. Tu me caches quelque chose, décréta-t-elle.

Fanfan m'a sauvée par une autre question :

— Qu'est-ce que ça veut dire, *traîner en cour ?*

On a regardé à nouveau dans le dictionnaire. La définition du mot *cour* était très longue, on était un peu découragées : *espace découvert, clos de murs ou de bâtiments et dépendant d'une habitation*. Papa traînerait maman dans la cour derrière chez nous ? Ça semblait peu plausible. *Patio, cloître, basse-cour…* non plus. Ma jumelle a lu un autre passage : *cour des miracles, quartier des truands, des voleurs*.

— Tu crois que papa traînerait maman dans une cour pleine de voleurs ? a dit Fanfan, plus mort que vif.

On a poursuivi notre lecture, de plus en plus anxieuses : *faire la cour à une femme, se montrer assidu, galant auprès d'elle pour lui plaire*. Le ton de papa n'était pas celui de quelqu'un qui veut plaire. On a fini par tomber sur le mot *tribunal*.

— Comme dans *Perry Mason* ? murmura ma jumelle.

Dans ce cas, même le *Larousse* ne pouvait éclairer notre lanterne.

Le lendemain, maman avait la migraine. Fanfan, ma jumelle et moi lui avons apporté ses deux aspirines, le verre d'eau et la débarbouillette froide.

— C'est la dernière fois, murmura-t-elle. Je n'aurai plus jamais mal à la tête, promis.

Ma jumelle l'a regardée avec la mine grave qu'elle arborait toujours dans les circonstances importantes :

— Est-ce que papa va te traîner au tribunal, comme dans *Perry Mason ?*

Maman, perspicace comme d'habitude, a compris que j'avais dit la vérité à ma jumelle, et qu'on avait surpris l'orage de la veille.

— Votre père a dit ça parce qu'il a de la peine. Il va finir par accepter la situation.

Encore une notion difficile à comprendre. Il me semble que, quand on a de la peine, d'habitude, on pleure, on ne crie pas « je vais te traîner en cour ». Je finirai bien par faire un et un font deux, bien que l'arithmétique ne soit pas mon fort.

Le soir, après le souper, papa a pris Fanfan à part.

— Aimerais-tu mieux vivre dans un taudis avec ta mère ou rester avec ton père dans notre belle grande maison ?

— Pourquoi toi tu vas pas vivre dans le taudis et nous autres on resterait avec maman dans la belle grande maison ?

Fanfan, qui était parfois porte-panier, était néanmoins vif d'esprit.

Le déménagement

Les semaines passèrent, les grands froids commençaient à nous envahir et le jour du déménagement, prévu pour le début de janvier, à l'approche de notre anniversaire, arrivait à grands pas. Le climat était lourd dans la maison. Papa avait souvent les yeux rouges, maman marchait sur la pointe des pieds, comme si elle cherchait à se faire oublier. Ma jumelle et moi avions très hâte de partir, on comptait les jours. Notre seul regret, c'était de quitter l'école Victor-Hugo. C'était une institution privée dirigée par des « Français de France », comme on disait à l'époque. Tout était importé de France, à cette école : les livres, les réglettes, la calligraphie, notre directrice, Madame Fauvel, les professeurs. J'en savais davantage sur Vercingétorix et Napoléon que sur Jacques Cartier, Champlain et Madeleine de Verchères. Il y avait bien un curé canadien-français qui nous rendait visite de temps en temps, mais il était amusant, ne parlait jamais de l'enfer, et nous confessait familièrement dans l'escalier, sans donner de pénitence ou de prières à réciter. Je lui racontais tout ce qui me passait par la tête, sans crainte de représailles.

Chaque année, j'avais l'insigne privilège d'écrire un mot de bienvenue au tableau, à la rentrée scolaire et au retour des vacances de Noël. Nous avions des plumes et des encriers, de jolis cahiers Clairefontaine quadrillés finement, et nous devions nous exercer à reproduire les lettres selon la calligraphie française. Les lettres majuscules étaient vraiment jolies, délicates et ornées comme de la dentelle, surtout les l et les f. Je grimpais sur un petit tabouret pour tracer les précieuses lettres au tableau avec des craies de couleur, en tâchant d'écrire droit. C'était sans doute une façon de mettre de l'ordre dans le chaos, de rétablir l'harmonie, un antidote au désordre et à la violence qui envahissaient parfois notre maison, comme des vagues à marée haute.

Il y eut d'autres disputes entre nos parents la semaine avant notre grand départ. Pendant l'une de ces chicanes, on entendit papa éructer le mot *amant*, et maman répliquer :

— Tu peux bien parler, avec tes maîtresses !

Ma jumelle et moi avons supputé longuement le sens du mot *maîtresse* : s'agissait-il de Madame Lornac, notre professeur de français, une femme au chignon sévère et à la bouche si serrée qu'on n'aurait pas pu y insérer une aiguille ? Cette hypothèse nous sembla des plus farfelues. Pour en avoir le cœur net, on a regardé à nouveau dans le dictionnaire à la lueur d'une lampe de poche que je cachais sous mon oreiller (au vu et au su de maman, qui favorisait toutes les occasions de lecture) : *Maîtresse : N.F. Femme qui accorde ses faveurs à un homme qui n'est pas son mari*. Décidément, le *Larousse* était une mine d'information inépuisable. *Accorder ses faveurs* ne nous paraissait pas limpide, mais si on faisait une analogie entre Madame K et papa, on pouvait imaginer que Madame K accordait ses faveurs à papa, qui n'était pas son mari, et donc, à l'inverse, que maman pouvait accorder ses faveurs à… On décida d'un commun accord de ne pas pousser le raisonnement plus loin. Maman étant une créature proche de la perfection et, ayant besoin de cette perfection pour survivre sur ce radeau fragile qui s'apprêtait à prendre le large vers une terre inconnue, nous pouvions bien faire l'économie d'une hypothèse, même au prix de la vérité. Surtout au prix de la vérité, aurais-tu dit.

*

La veille du déménagement, maman remplissait toujours des boîtes sous l'œil sarcastique de papa.

— Tu vas revenir. Tu supporteras pas de vivre deux mois dans ton taudis.

Maman continuait à remplir les boîtes sans mot dire, pour ne pas jeter de l'huile sur le feu. Nous tâchions de l'aider avec l'inefficacité et la bonne volonté d'enfants de presque huit ans, en lui apportant toutes sortes d'objets hétéroclites dont maman ne savait que faire, mais qu'elle plaçait tout de même dans les boîtes pour qu'on se sente utiles.

Le dernier souper a été funèbre. Tu étais assis à ta place habituelle, le nez dans ton assiette ; tes cheveux couvraient ton visage. Personne ne parlait, on n'entendait que le raclement des cuillères dans les bols à soupe. Papa avait une mine sombre, les dents serrées et le teint un peu plus rouge que d'habitude. Je l'avais vu boire plusieurs verres de liquide transparent avant le souper. Je me doutais bien qu'il devait y avoir autre chose que de l'eau dans ces verres, car on ne devient pas cramoisi juste en buvant de l'eau, il me semble. J'observai subrepticement le dessus de sa tête, par crainte d'y voir apparaître de petites cornes mais, bien sûr, il n'y en avait pas ; que ses petites oreilles fines rougies par le ressentiment et le liquide transparent. Soudain, papa s'est levé, s'est avancé vers toi, t'a arraché ta cuillère.

— Lève la tête quand tu manges. On n'est pas des sauvages.

Tu l'as regardé sans rien dire, replaçant ta mèche sur ton front, puis tu as soulevé le bol et tu as avalé une gorgée de soupe. Papa, furieux, a donné un coup du revers de la main sur le bol qui est allé s'écraser sur le plancher. Maman a étouffé un cri. Tu t'es levé à ton tour. Vous étiez face à face, immobiles, les mains de papa tremblaient légèrement. Puis tu t'es penché, tu as ramassé les débris du bol par terre, tu les as jetés dans la poubelle et tu es sorti de la cuisine. Papa est resté debout un moment, puis est allé se rasseoir. Les restes de la soupe brillaient sur le plancher.

Après le souper, papa est resté dans la cuisine pour ramasser les dégâts. Maman lui a offert de l'aider, mais il a refusé, la tête basse. Il est allé chercher une serpillière et un seau dans le placard. Lorsque je l'ai vu tout seul, le dos penché, soufflant sous l'effort, j'ai eu de la peine pour lui. Va comprendre pourquoi.

— Papa.

Il a sursauté légèrement, s'est tourné vers moi. Il avait les yeux injectés de sang. J'ai pris mon courage à deux mains, comme un chat sauvage que j'aurais tenté d'apprivoiser. Mon cœur s'est mis à battre un peu plus fort, j'avais le souffle court.

— Papa, comme on s'en va demain avec maman, ça lui ferait tellement plaisir si tu étais gentil avec elle.

J'ai attendu la suite avec appréhension. J'avais peur de m'être mis les pieds dans une cuve pleine de chaux, comme la pauvre Sophie. Je craignais un orage, ou des reproches, ou pire, une tentative de me convaincre de vivre avec lui dans la grande maison. Contre toute attente, il s'est mis à pleurer. De gros sanglots qui sortaient difficilement de sa gorge. C'était la première fois que je le voyais pleurer. J'ai essayé de le consoler maladroitement.

— Pleure pas, papa.

Ce qui a redoublé ses sanglots. As-tu remarqué, quand quelqu'un nous dit de ne pas pleurer, ça nous donne toujours envie d'en remettre. Il a fait un gros effort pour « rentrer » ses larmes. Il avait le cœur gros, c'est toujours ce qui arrive quand on essaie de « rentrer » ses larmes. En fait, c'est la gorge, qui fait mal, mais comme c'est la faute du cœur, on dit, le cœur gros. Il m'a mis une main sur la tête, l'a frottée doucement.

— Je vais essayer, ma petite fille. Je te le promets.

J'ai compris à la douceur de sa voix que ses larmes étaient de bonnes larmes, que sa peine lui faisait du bien. Juste à ce moment-là, une grande joie m'a envahie, comme la fois du colibri. J'étais assise par terre dans le jardin avec ma jumelle, près de la plate-bande d'iris et de tulipes. Le lilas japonais et le pommier étaient en fleurs, nos jupes à carreaux dessinaient une corolle sur l'herbe. Il faisait soleil, les rayons nous faisaient cligner des yeux. Soudain, j'ai entendu un léger vrombissement. J'ai aperçu un oiseau si petit que je l'ai d'abord pris pour un papillon. Il avait un long bec fin et ses ailes bougeaient tellement vite qu'elles en devenaient invisibles. L'oiseau, émeraude sous la lumière, est resté suspendu à la hauteur de mes yeux pendant quelques secondes, et j'ai ressenti une joie intense : le soleil, l'oiseau, les fleurs, l'herbe, les parfums suaves du lilas et du pommier, ma jumelle et moi formions un tout heureux, un espace clos mais qui contenait la Terre entière.

Cette nuit-là, je me suis endormie rassurée, pleine d'optimisme, fière d'avoir réussi à pacifier papa. Le lendemain, il a fait une scène à maman. Ç'a été ma première expérience empirique avec la théorie de la relativité. Papa était sincère quand il m'avait fait sa promesse, la veille, ça, j'en suis sûre, mais on peut se mentir à soi-même avec sincérité.

— Tu veux me quitter, me voler mes enfants ? Tu le feras sans ma voiture, criait-il, avec l'air de la dignité offensée.

— Tu m'as dit que je pouvais la prendre, protesta maman.

— J'ai eu un moment de faiblesse.

— Qu'est-ce qu'on va faire ? On va pas aller à Montréal dans le camion du déménageur ! s'exclama-t-elle, excédée.

Papa la toisa, ironique :

— Ça te ferait bien trop plaisir, de voyager avec d'autres hommes.

Maman a ravalé sa colère, comme papa avait tenté de « rentrer » ses larmes, la veille.

— T'es vraiment pas raisonnable, murmura-t-elle pour ne pas crier.

— J'en suis fier, rétorqua papa, avec une morgue qu'il n'éprouvait déjà plus.

Maman a couru vers le téléphone, placé sur une commode près de l'entrée. Elle a ouvert un tiroir, en a sorti un bottin, l'a feuilleté fébrilement. Papa ne la lâchait pas d'une semelle :

— C'est ton avocat qui t'a mis ses idées de fou dans la tête, hein ? Regarde où ça t'a menée ! Sans moi, t'es plus rien, tu vas vivre dans la misère, tu vas devenir une persona non grata, tu vas faire le vide autour de toi !

Persona non grata, une autre expression compliquée à chercher dans le dictionnaire, mais il n'y avait aucun doute, au ton de papa, que ce n'était pas un compliment. Maman a trouvé le numéro qu'elle cherchait, s'est emparé du combiné et a composé un numéro. On entendait le grincement de la roulette. Papa, debout près d'elle, guettait ses moindres mouvements, tandis que les déménageurs allaient et venaient autour d'eux avec les meubles et les boîtes.

— C'est combien, pour louer une voiture, s'il vous plaît ?

Papa est devenu blanc comme un drap.

— T'as pas une maudite cenne! Comment tu vas faire pour payer? Tu vas faire le trottoir?

Faire le trottoir. Est-ce que ça veut dire qu'on va être obligés de marcher jusqu'à Montréal? J'espère que non, parce que ça prendrait des bottes de sept lieues, et c'est comme la fée des dents et Monsieur Toki, je sais qu'elles n'existent pas pour vrai.

Maman s'est bouché l'oreille avec une main, a pris le téléphone de l'autre et s'est éloignée. Elle s'est arrêtée à quelques pas, le téléphone était au bout de son fil.

— Le modèle? Je m'en fiche! Je vais régler comptant. Merci.

Elle est retournée vers la commode, a raccroché le combiné. Papa a tout à coup changé d'humeur. Sa voix s'est adoucie :

— Je t'en supplie, Louise, reste. Enlève-moi pas les enfants. Je vais changer, je te le promets, je vais changer.

Elle n'a rien dit, se contentant de secouer la tête. Un long silence a suivi.

— Comme c'est dommage, murmura-t-il.

Il n'était plus fâché, seulement triste.

*

La voiture louée s'est arrêtée devant la maison, une grosse Pontiac rouge qui avait connu des jours meilleurs. Maman était allée la prendre en taxi avec Luc. Une fine neige a commencé à tomber. Papa est sorti de la maison. Il est resté sur le seuil un moment, en bras de chemise, a regardé la voiture rouge un moment, puis il s'est frotté les bras et est rentré.

Une heure plus tard, maman, ma jumelle, Fanfan, Luc et moi étions entassés avec nos bagages dans la voiture. Le camion de déménagement était déjà parti. J'ai cru voir le rideau du salon bouger, et la tête de papa se profiler un instant à travers la fenêtre, puis disparaître. Maman était nerveuse. Elle avait appris à conduire, il y a quelques mois, et comme papa lui prêtait rarement sa Buick et que, quand il le faisait, il tenait absolument à l'accompagner et l'inondait de conseils et d'exclamations impatientes, elle n'avait pas encore beaucoup d'assurance. Au moment où elle a démarré la voiture, je me suis rendu compte que tu n'étais pas avec nous.

— Où est Dominique ? ai-je demandé.

— Il a décidé de rester avec votre père.

Je suis sortie de la voiture en coup de vent, malgré les protestations de maman. Je suis entrée dans la maison. J'ai grimpé l'escalier quatre à quatre et couru jusqu'à ta chambre. Elle était vide. Je suis allée vers la fenêtre, qui donnait sur le jardin. Tu étais debout, en train de fumer une cigarette. Tu étais habillé en noir, comme d'habitude. La neige blanchissait ta tête et tes épaules. Je suis allée te rejoindre en courant.

— Dominique !

Tu as tourné la tête vers moi, le regard vague. Je me suis approchée de toi, intimidée, comme si tu étais devenu un étranger.

— Pourquoi tu viens pas avec nous ?

Tu as réfléchi quelques secondes, puis tu as jeté ta cigarette sur la neige. Elle s'est éteinte avec un léger chuintement.

— Je peux pas laisser papa tout seul.

Tu m'as pris gentiment le menton. Ta main était froide, tes doigts jaunis par le tabac.

— Dépêche-toi, maman t'attend.

Tu m'as raccompagnée jusqu'à la voiture. Tu nous a envoyé la main à travers les flocons de neige qui tombaient dru maintenant. Je t'ai regardé à travers la lunette arrière, ta silhouette se découpait sur la blancheur de la neige, puis un halo de buée s'est formé sur la vitre, on aurait dit que tu étais enfermé dans une boule de verre. Mais peut-être l'ai-je imaginé. Je me suis toujours demandé si tout n'aurait pas été différent si tu étais parti avec nous.

Il neigeait toujours lorsque la Pontiac s'est arrêtée devant l'immeuble, sur Maplewood. Le camion de déménagement bloquait une partie de la rue. Le ciel était sombre, même au milieu de l'après-midi. Une fillette d'environ huit ans était en train de faire un bonhomme de neige. Ma jumelle et moi avons été les premières à sortir de la voiture. Elle nous a aperçues, nous a regardées un moment sans rien dire, son expression à la fois curieuse et méfiante. Puis elle s'est détournée, a continué à faire son bonhomme de neige comme si nous n'existions pas.

Deuxième cahier

Isabelle

Les déménageurs étaient en train de transporter la pièce maîtresse de notre modeste mobilier, tu sais, le gros divan-lit marron qui était dans le sous-sol de l'ancienne maison. Ils ahanaient sous l'effort, couverts de sueur malgré le froid, tentant de négocier un virage dans la petite cage d'escalier de l'immeuble. Après beaucoup d'efforts et quelques jurons, ils réussirent à franchir l'escalier jusqu'au deuxième étage et menèrent la grosse Bertha à bon port. On les a suivis, excités comme des puces à l'idée de visiter notre nouveau logement pour la première fois. Il était immense, du moins à nos yeux d'enfants : un salon double, un couloir interminable et sombre, sans fenêtres, sur lequel s'ouvraient trois chambres. Au fond, une vieille salle de bains et une petite cuisine munie d'un énorme évier en céramique usé. Un taudis, aurait dit papa. Pour nous, c'était déjà le paradis : on était tous sains et saufs sur notre esquif, avec notre mère comme capitaine.

Maman finissait de payer les déménageurs lorsqu'on sonna à la porte. Elle alla répondre. Un homme corpulent pour sa petite taille, les cheveux blancs clairsemés qu'il coiffait sur le côté pour cacher sa calvitie, portant une robe de chambre élimée, était debout sur le seuil. Il sentait le tabac et la naphtaline.

— Madame, c'est un immeuble tranquille, ici, vous faites un tapage inacceptable.

Maman le regarda, médusée.

— Mais monsieur, on déménage !

— Peu m'en chaut, répliqua-t-il, le menton redressé. Les gens civilisés s'arrangent pour être discrets, quelles que soient les circonstances.

Il lui tourna le dos et s'engagea dans l'escalier menant au troisième étage. Maman le suivit des yeux, puis hocha la tête.

— Ça commence bien, murmura-t-elle.

En quelques heures, nos lits étaient faits, les commodes remplies, la cuisine rangée. On a mangé de la soupe en conserve et de la viande froide, achetés en vitesse à l'épicerie du coin. Après le souper, maman nous a donné la permission d'aller jouer devant la maison pendant une demi-heure. La petite fille était toujours en train de faire son bonhomme de neige, éclairée par un lampadaire. Ma jumelle et moi avons fait quelques pas dans sa direction et avons demandé en même temps :

— On peut t'aider ?

Elle a hésité un moment, sans doute décontenancée à la vue de deux fillettes qui se ressemblaient comme deux gouttes d'eau et qui la regardaient avec la même curiosité. Puis un faible sourire éclaira son visage fin et pâle.

Elle s'appelait Isabelle, elle était menue, presque chétive, les yeux vifs et la mine furtive d'un écureuil. On apprit qu'elle habitait au troisième, à gauche, juste au-dessus de chez nous. Je l'ai aidée à « rouler » une boule de neige pour le thorax, et j'ai accepté de lui prêter mon foulard pour le mettre autour du cou du bonhomme, tandis que ma jumelle a sacrifié sa tuque. Isabelle, enthousiaste, est remontée chez elle pour aller chercher une carotte, des boutons de chemise et une rondelle de tomate pour le nez, les yeux et la bouche. Quand elle est revenue, le monsieur qui avait enguirlandé maman l'accompagnait. Il portait un manteau par-dessus sa robe de chambre, et des caoutchoucs par-dessus ses pantoufles. Il nous toisa, l'air gourmé :

— Je voulais savoir avec qui ma fille jouait. Notre nom de famille est *de* Vendôme (il appuya bien sur la particule), je ne la laisse pas fréquenter n'importe qui.

Ma jumelle et moi avons eu peine à ne pas pouffer de rire, tellement Monsieur *de* Vendôme avait l'air étrange avec sa robe de chambre qui dépassait de son paletot. Piqué au vif de n'être pas pris au sérieux, il a pris Isabelle par le bras et l'a traînée vers la porte d'entrée. Isabelle s'est tournée vers nous, nous a jeté un regard presque désespéré, comme pour se faire pardonner l'excentricité de son père. Mais en fait d'excentricité, notre père ne donnait pas sa place. Nous avons donc salué Isabelle de la main, avec une coordination de nageuses synchronisées, et elle nous a souri, soulagée.

On a grimpé l'escalier en trombe et on a raconté à maman notre nouvelle amitié avec Isabelle et notre rencontre inopinée avec son père, qui s'appelle *de* Vendôme et ne veut pas que sa fille fréquente n'importe qui. Maman n'en revenait pas :

— Quel snob ! De toute façon, ça m'étonnerait que son nom porte une particule, les aristocrates ont à peu près tous été guillotinés pendant la Révolution française !

Deux choses réussissaient à la faire grimper dans les rideaux : la religion et les snobs.

Le soir, après notre bain, maman nous a couchés tous les trois, nous a chanté *Jimbo l'éléphant, Une chanson douce* et, en prime, *Le prisonnier de la tour,* parce que c'était notre première nuit dans notre nouveau logement, sans papa, et elle ne voulait pas nous laisser seuls trop vite dans cette chambre inconnue. Elle nous a embrassés, bordés, puis s'est éloignée à pas de loup pour qu'on s'endorme. Au moment où elle refermait la porte, on a entendu des bruits de chaises qu'on traîne, des cris stridents, d'autres grincements de chaises, des pleurs. Maman, inquiète, décida d'aller voir ce qui se passait. Ma jumelle et moi la suivîmes, pieds nus et en pyjama. Elle monta l'escalier jusqu'au troisième tandis que les cris redoublaient. Elle frappa timidement à la porte d'où provenait le vacarme. Elle attendit, puis après un moment, la porte s'ouvrit. Une femme à l'allure chétive, en robe de nuit, les cheveux gris en bataille, apparut sur le seuil, l'air hagard. Maman était saisie :

— Bonsoir madame…

— Madame Vendôme, dit la femme avec une voix de souris.

— Madame Vendôme, je suis votre voisine du deuxième. Est-ce que… ça va ?

Madame Vendôme jeta un regard furtif derrière elle, resserrant sa robe de chambre sur sa poitrine étroite :

— Oui, très bien.

— On a entendu un peu de bruit, alors… on se demandait…

Monsieur Vendôme est soudain apparu derrière sa femme. Cette dernière s'est tournée vers son mari, essayant de sourire :

— C'est notre voisine, elle vient d'emménager.

Monsieur Vendôme l'a repoussée d'un mouvement sec, s'est placé devant elle avec un air hautain qui contrastait avec son allure débraillée.

— Ce n'est pas une heure pour déranger les gens !

Et il claqua la porte au nez de maman sans autre forme de procès. Elle resta là, abasourdie.

— Tu parles d'un fou ! dit-elle à mi-voix, encore sous le choc.

Elle redescendit l'escalier. On s'empressa de regagner notre chambre. Le silence était revenu, on n'entendait plus que les craquements habituels des vieux logements. Dire que nous avions déménagé à Montréal pour avoir la paix !

Pétenot

Le lendemain, maman nous habilla soigneusement pour notre première journée d'école : une tunique noire et un chemisier blanc amidonné. Fanfan, le chanceux, portait un nœud papillon.

— Où est passé ton foulard ? Et toi, ta tuque ? Vous les aviez, hier !

En sortant dehors, on vit un homme voûté avec une casquette sur son crâne chauve, en train de démolir notre bonhomme de neige à l'aide d'une pelle. Le foulard et la tuque gisaient par terre. On s'est précipitées vers lui.

— Aye ! Touchez pas à notre bonhomme !

Il leva à peine la tête, continuant placidement son ouvrage.

— Pas le droit, icitte, c'est dans le chemin, marmonna-t-il.

On a voulu protester, mais maman s'interposa :

— Les petites filles, dépêchez-vous, vous allez être en retard à l'école.

Je ramassai mon foulard à regret, ma jumelle sa tuque, on jeta un dernier regard aux débris du bonhomme de neige. Isabelle dévala l'escalier sur les entrefaites. Elle aperçut notre bonhomme de neige en morceaux, secoua la tête, dépitée.

— Mosus de Clowé, dit-elle entre ses petites dents pointues.

Je la regardai sans comprendre.

— Qui ?

— Clowé, répéta-t-elle. Le concierge. Il dit toujours *clower* au lieu de clouer. Papa dit que c'est un *pétenot.*

Sur le moment, j'ai pensé que le pauvre concierge était porté à la flatulence. J'eus beau chercher dans le *Larousse,* je n'ai rien trouvé. C'est Monsieur Midi qui m'a appris plus tard que péquenot était un terme péjoratif pour désigner un campagnard pas très dégourdi, mais pardonne-moi, j'anticipe.

— Dépêche-toi ! s'écria à nouveau maman.

On s'est rendus à pied à l'école, qui se trouvait à quelques coins de rues de notre logement, Isabelle, ma jumelle et moi en avant-garde, bras dessus, bras dessous, maman et Fanfan à notre suite. Ce dernier traînait de la patte, sans doute pour retarder le supplice. Maman soupirait en le tirant par le bras.

L'académie Saint-Joseph était divisée en deux : la section des filles et celle des garçons. Maman laissa Fanfan à l'entrée de la section des garçons, entre les mains d'un monsieur à la mine trop guillerette pour être vraie. Fanfan avait les yeux pleins d'eau, mais faisait le brave, c'est maman qui avait peine à retenir ses larmes. Puis elle nous reconduisit à l'entrée de la section des filles. Isabelle nous embrassa en nous souhaitant bonne chance et disparut à l'intérieur. Une sœur nous attendait, une vraie de vraie, avec un costume noir, un voile muni d'un bandeau blanc qui lui ceignait le front. C'était la première fois de notre vie que l'on voyait une sœur de près, à part au cinéma, quand Mimi nous avait emmenées voir *La mélodie du bonheur*. On avait le cœur gros, tout à coup. On aurait voulu repartir avec notre mère, retourner à l'école Victor-Hugo, on ne comprenait plus ce qu'on faisait ici, dans une école qui sépare les filles des garçons, avec cet étrange oiseau noir qui nous scrutait avec une curiosité sans bienveillance et roulait ses *r* comme un perroquet. Maman se dépêcha de partir pour ne pas pleurer devant nous. La sœur nous poussa dans le dos sans ménagement :

— Hourra, hourra, dépêchez-vous d'entrer avant qu'on se change en glaçons.

Un concierge était en train de laver les planchers, déjà brillants comme une patinoire, avec une poudre verte qui sentait la térébenthine. L'atmosphère était feutrée, on n'entendait que l'écho lointain de voix et le bruissement du chapelet qui entourait le cou de la sœur. Ma jumelle et moi sommes restées debout, main dans la main, figées de timidité. Un bruit sec nous fit sursauter. La sœur tenait un petit objet noir en bois dans la main. Elle le fit claquer à nouveau.

— Hourra, hourra, je n'ai pas toute la journée, moi…

Elle commença à monter l'escalier. On la suivit sans demander notre reste. Ma jumelle me murmura à l'oreille :

— C'est des castagnettes, comme dans la danse flamenco.

Ma jumelle était très au fait des mœurs espagnoles, car, pour une raison mystérieuse, on passait beaucoup de films espagnols doublés à la télé, à Ottawa.

La sœur s'arrêta devant une porte vitrée, l'ouvrit, nous fit signe d'entrer et referma la porte derrière elle. Une dame en tailleur sévère mais au visage rond et jovial, Madame Dozois, était debout devant la classe. Toutes les élèves, une trentaine au moins, se tournèrent vers nous en une myriade de tuniques noires et de chemisiers blancs. J'avais les jambes molles, mon cœur battait la chamade. Isabelle, assise en avant, nous fit un signe amical. La sœur s'adressa à la classe :

— Je vous présente deux nouvelles élèves. Accueillez-les bien, elles sont bien spéciales, leurs parents sont des intellectuels.

À ces mots, une sourde hostilité apparut dans le regard des élèves. Ma jumelle et moi avons soudain eu l'impression d'être enfermées dans une cage ; un peu plus et on se serait fait lancer des cacahuètes. La religieuse était sûrement pleine de bonnes intentions, mais être des « filles d'intellectuels », dans cette classe munie d'un large crucifix, semblait être un état vaguement sulfureux et condamnable.

De caroube en cilla

Ma jumelle et moi sommes allées de *caroube en cilla*, comme le disait Madame Dozois, dont c'était l'une des expressions favorites. Elle en avait plusieurs. On les notait soigneusement et on les rapportait à maman, qui s'amusait à les déchiffrer : il y eut *escatédra,* dont on crut d'abord qu'il s'agissait d'un candélabre ; mettre quelqu'un sur un *plateau d'Estale* ; *la lupre et la stucre, vendre la charrette avant les bœufs* ; *chat échaudé craint l'eau chaude* ; *à cheval prêté, il ne faut pas regarder la bride...* Madame Dozois avait aussi un goût immodéré pour les beaux mots de vocabulaire comme *joncher* ou *multicolore,* qu'elle nous encourageait à placer dans nos compositions françaises : un « les feuilles multicolores jonchaient le sol » nous valait invariablement des étoiles ou des anges dans la marge de nos compositions. Maman était allergique à ce qu'elle qualifiait d'enflures verbales, et réfutait la théorie de Madame Dozois selon laquelle il fallait éviter les verbes être et avoir, trop banals.

— Ce qui est banal, c'est d'utiliser des mots comme *joncher* à toutes les sauces. Il n'y a rien de plus difficile que la simplicité.

Tout nous dépaysait à notre nouvelle école, comme si on s'était retrouvées en terre étrangère : les livres d'histoire et de géographie, les cours de religion, les messes obligatoires tous les premiers vendredis du mois, les chapelets, la confession, les prières, tout le fatras d'une ferveur religieuse qui n'existait pas à la maison et qu'on n'avait pas connue à l'école Victor-Hugo. Dans notre vie antérieure, on n'avait jamais mis les pieds dans un confessionnal, on n'apprenait pas de prières, et on allait à l'église de temps en temps avec papa, sans maman. Papa nous avait expliqué un jour qu'elle était agnostique. On a d'abord pensé avec inquiétude qu'il s'agissait d'une maladie grave. Maman nous a expliqué en riant qu'elle n'était pas malade (sinon d'une allergie à tout ce qui se rapportait à l'Église), mais qu'elle avait perdu la foi.

Quand on est revenues à la maison avec nos nouveaux manuels scolaires, après notre première journée d'école, maman était dans son bureau en train d'écrire un article pour *Citadine*, une revue féminine. On lui a montré fièrement le petit catéchisme.

— Je peux pas croire que c'est encore à l'étude dans une école publique ! Je pensais que c'était fini, ces bondieuseries-là...

Sa réaction fut encore plus vive lorsqu'on lui a expliqué qu'il fallait l'apprendre par cœur.

— Je veux pas que vous vous mettiez ces niaiseries-là dans la tête !

Nous étions un peu mal prises, ma jumelle et moi, étant donné que ce livre était obligatoire, et qu'on allait subir des contrôles écrits et oraux pour vérifier nos connaissances. Maman s'est résignée, non sans nous avertir qu'il ne fallait pas compter sur elle pour nous aider à apprendre ces « bêtises puritaines ». Mon petit frère lui demanda, à brûle-pourpoint :

— Est-ce que c'est vrai que le bon Dieu porte une barbe blanche et regarde tous nos gestes, assis sur un nuage, y compris quand on fait pipi ?

Maman secoua la tête, découragée.

— Dieu ne porte pas de barbe et n'est pas assis sur un nuage. C'est un concept abstrait inventé par les hommes pour tenter de donner un sens à l'univers.

Mon petit frère la regarda, perplexe mais visiblement soulagé.

— Est-ce qu'il a un zizi ?

*

Nous n'étions pas sorties de l'auberge. Il nous fallut comprendre les mystères liturgiques comme celui de l'eucharistie. Sœur de l'Enfant-Jésus nous avait expliqué que, lorsqu'on communiait, l'hostie que l'on recevait contenait le corps du Christ. J'étais si intriguée que j'osai lever la main et demandai à la sœur si le corps du Christ était vraiment dans l'hostie, ou si c'était une façon de parler. J'entendis des murmures de désapprobation. La sœur me répondit gentiment, sans marquer d'impatience :

— Il s'agit bien sûr du corps du Christ, puisque l'hostie est consacrée.

La réplique de sœur de l'Enfant-Jésus me plongea dans la plus grande perplexité. Comment un homme en chair et en os pouvait-il se trouver dans une petite hostie blanche ? Était-il possible qu'on l'ait scié en mille morceaux pour l'y mettre ? Si oui, comment pouvait-on parler de charité chrétienne et faire preuve d'autant de cruauté ? Comment se pouvait-il qu'il n'y ait aucune trace de sang ? Et comment expliquer que le corps du Christ soit seulement dans l'hostie, et pas dans les retailles, que les sœurs mettaient dans des sacs bruns et vendaient vingt-cinq sous le sac, retailles que l'on dévorait avec délice en regardant *Thierry la Fronde* ou en lisant des *Sylvie* ? Quand je fis part à maman de mes interrogations sur le corps du Christ dans l'hostie, elle m'expliqua qu'il s'agissait d'une métaphore. Je la regardai sans comprendre.

— Un symbole, ajouta-t-elle.

Je rapportai cette précision à sœur de l'Enfant-Jésus qui, cette fois, prit un air sévère et grave :

— Ce n'est pas un symbole. Il faut y croire. C'est au cœur de la foi.

Le concept de la Sainte Trinité m'embêtait encore davantage. Dieu était notre père à tous, Jésus, son fils, représentait son incarnation sur terre, et le Saint-Esprit…

Là, l'explication de sœur de l'Enfant-Jésus devint des plus confuses : le Saint-Esprit est Dieu, *un* avec le Père et le Fils, et cependant *distinct* du Père et du Fils. Comment Dieu pouvait-il être à la fois unique et divisé en trois ? Sœur de l'Enfant-Jésus essaya tant bien que mal de nous expliquer le sens de ce trois-dans-un :

— C'est un des grands mystères de la religion.

Inutile de te dire que cette réponse me laissa sur ma faim. Maman, lorsque je lui rapportai cette explication de sœur de l'Enfant-Jésus, poussa un soupir excédé.

— J'aurais dû vous envoyer à une école anglaise.

Mais peut-être serions-nous allés de *caroube en cilla*, qui sait…

La voisine de palier

Quelques semaines après notre arrivée, on sonna à la porte. Maman alla répondre, nous la suivîmes par curiosité. Une jeune femme aux cheveux blond platine était debout sur le seuil. Elle portait une jolie robe rouge très courte, des *bananes* bleu électrique dessinées au-dessus des paupières et des talons hauts assortis à son sac à main en cuir verni. Elle arborait un sourire éblouissant, comme dans les publicités de Pepsodent.

— Bonjour. J'habite juste en face de chez vous. J'ai des invités, ce soir, j'aurais besoin d'une rôtissoire. La mienne est sale, et…

— Bien sûr, dit gentiment maman. Tout ce que je vous demande, c'est de me la rapporter après.

— C'est évident ! répondit la voisine, légèrement offusquée.

Maman partit à la recherche de la rôtissoire. Ma jumelle, Fanfan et moi regardions la voisine avec une admiration éperdue. Ce qu'elle était jolie ! Elle pianotait impatiemment sur le mur, ses nombreux bracelets et ses longs ongles roses faisaient un cliquetis léger. Nous étions beaucoup trop timides pour entreprendre une conversation avec elle. Maman revint avec la rôtissoire, la voisine lui fit à nouveau son sourire Pepsodent :

— Vous êtes tellement fine ! Je vous revaudrai ça !

Elle retourna dans son appartement. Nous étions encore sous le charme.

— Elle est jolie, hein, maman ?

Elle fit la moue :

— Elle se donne un genre. Puis sa couleur de cheveux est rapportée.

— Ça veut dire quoi, rapporté ?

— C'est pas sa vraie couleur.

Fanfan, diplomate-né (ou bien téteux, selon le point de vue), lui dit :

— T'es bien plus belle qu'elle…

Une fois au lit, on entendit à nouveau des bruits de chaises et des cris provenant du logement des Vendôme. Maman décida de prendre les grands moyens : elle s'empara du balai et cogna sur le plafond. Les bruits cessèrent après un moment.

Le lendemain, maman s'est rendue chez la voisine aux cheveux blonds rapportés pour récupérer sa rôtissoire. Elle sonna chez elle. Pas de réponse. Elle sonna à nouveau, puis s'apprêtait à revenir chez nous quand la porte s'ouvrit. L'apparition sur le seuil était tellement différente de celle qu'on avait vue la veille qu'on aurait dit deux personnes, et pas des jumelles, crois-moi sur parole. Ses cheveux allaient dans tous les sens. Elle avait des traces noires sous les yeux qui lui donnaient un air de raton laveur. Elle portait une robe de chambre en soie avec de grands oiseaux chamarrés brodés dessus, mais il y avait des taches de café et le col blanc avait viré au gris. Elle avait une cigarette au coin de la bouche, comme les méchants dans les films de cow-boys, et la fumée montait dans ses narines.

— Qu'est-ce que vous voulez? dit-elle d'un ton rogue.

— Je voudrais reprendre ma rôtissoire, répondit timidement maman.

— Vous me réveillez juste pour ça!

— Il est quatre heures de l'après-midi, je pensais pas que…

— Je fais pas du neuf à cinq, moi, madame, je suis une artiste!

Maman a beau être timide, elle ne supporte pas la mauvaise foi :

— Moi, je suis pigiste, j'ai quatre enfants à nourrir et j'ai besoin de ma rôtissoire.

La voisine l'a fusillée du regard, puis a disparu à l'intérieur, laissant la porte ouverte. Maman s'est tournée vers nous, découragée. Fanfan, ma jumelle et moi formions une petite haie d'honneur sur le palier.

— Qu'est-ce que je vais faire? J'ai besoin de ma rôtissoire!

— Appelle la police, suggéra Fanfan.

Après une minute, la voisine revint. Elle tenait la rôtissoire à bout de bras, comme pour ne pas se salir. Elle la tendit à maman.

— Ça m'apprendra à vous emprunter quelque chose!

Maman jeta un coup d'œil à la rôtissoire, interdite.

— Mais… elle est sale !

La voisine lui jeta un regard ironique.

— Pensez-vous que j'ai juste ça à faire, laver la vaisselle ? Je suis une artiste ! répéta-t-elle.

La voisine referma brusquement la porte. Maman était furieuse, mais comme elle a bon caractère, la colère ne se manifestait chez elle que par un léger changement dans sa voix, qui devenait un peu plus aiguë, comme quand on respire de l'hélium, au parc Belmont. Elle nous prit à témoin :

— C'est la première et la dernière fois que je lui rends service !

Les seins de dictionnaire

Depuis notre déménagement à Montréal, papa nous téléphonait régulièrement et promettait de venir nous voir. Il s'efforçait de prendre un ton joyeux alors qu'il ne filait pas un bon coton, et nous, on en ajoutait pour le mettre à l'aise. Il y avait parfois des silences aussi dérangeants que des mots. C'était pire quand il nous demandait si on voulait aller habiter avec lui, dans la grande maison. On enfilait trois paires de gants blancs, on lui répondait qu'on l'aimait beaucoup, mais qu'on voulait rester avec notre mère. Il le prenait mal :

— Je suis votre père, puis j'ai même pas le droit de vous voir grandir !

— T'en fais pas, on grandit pas vite, on est les plus petites de la classe, lui répondit une fois ma jumelle, dans une vaine tentative pour le consoler.

Tu comprendras pourquoi on n'a pas sauté d'enthousiasme lorsque maman nous a annoncé sa visite prochaine.

Un vendredi, après l'école, on a entendu klaxonner devant notre immeuble. On s'est précipités sur le balcon, on a vu papa dans une Buick flambant neuve qu'il tentait de stationner. Il dut s'y reprendre à plusieurs reprises, même s'il y avait assez d'espace pour loger deux voitures. Un automobiliste obligé de s'immobiliser derrière lui klaxonnait à tour de bras. Ma jumelle et moi avons dit en même temps :

— Il va être de mauvais poil.

Papa n'était pas aussitôt entré dans le logement avec sa valise et quelques sacs à poignée qu'il se mit à pester :

— Maudits Montréalais, ils savent pas conduire ! Vous avez pas de concierge, ici ?

— Oui, Clowé, dis-je sans réfléchir.

— Qui ?

Je me suis rendu compte que je ne connaissais pas son vrai nom. Papa a renchéri :

— L'escalier est sale sans bon sens ! C'est pas assez éclairé, j'ai failli trébucher !

Maman a interrompu sa diatribe :

— T'as fait un bon voyage ?

Il s'est raclé la gorge, mal à l'aise de ne pas avoir songé à nous saluer. Il a déposé sa valise et ses sacs, nous a embrassées un peu maladroitement, nous plantant un bec sur la joue comme un pic-bois picore un arbre.

— Bonjour, les *jums*.

Puis, regardant Fanfan, ému :

— T'as grandi, Tom Pouce. Luc est pas là ?

— Il est parti à la campagne chez des amis.

Papa s'est rembruni. Il s'est tourné vers maman, déjà prêt à monter sur ses ergots :

— Je gage que tu l'avais pas averti que je venais ?

— Oui, mais il avait déjà pris un engagement.

— Si ses amis comptent plus que son propre père…

Il était blessé. Pour se donner une contenance, il a pris un des sacs, en a sorti des cadeaux. Il y avait deux *Tintin*, deux *Club des Cinq*, un album *Spirou*, quelques *Bob Morane*, une vraie caverne d'Ali Baba. Puis il nous a tendu un autre sac, embarrassé :

— C'est… c'est de la part de Madame K, pour votre anniversaire. En retard, bien sûr.

Maman l'a gratifié d'un sourire ironique. Le malaise de papa s'attrapait, parce qu'on l'a ressenti aussi. Ma jumelle fut la première à ouvrir le cadeau de Madame K. C'était une robe blanche avec des broderies rouges dessus, en sorte de tissu-éponge. Je la trouvai hideuse.

— L'autre robe est pareille, mais avec des broderies bleues. Il paraît que c'est lavable à la machine.

Un autre silence s'est installé. Maman a jeté un coup d'œil à la valise :

— T'es descendu à quel hôtel ?

Papa ne s'attendait visiblement pas à cette question. Ses mâchoires se sont crispées :

— Je… j'ai pas pris de chambre. Je pensais que je serais le bienvenu ici.

— Tu l'es, mais tu vas être plus à ton aise à l'hôtel que dans notre taudis, répliqua maman avec un ton plus acidulé que d'habitude.

— Tu me donnes quand même la permission de prendre un verre.

Et sans attendre sa réponse, il s'empara du dernier des trois sacs à poignée.

— La cuisine est au fond ! lança maman, lisant dans ses pensées.

Sans dire un mot, il s'est engagé dans le couloir. Puis on l'entendit maugréer :

— Eh que c'est mal fait, les logements, à Montréal ! Tout en corridors !

Maman nous regarda avec un sourire apaisant, mais une veine apparut sur sa tempe droite, signe de tension chez elle. J'ai décidé d'aller rejoindre papa dans la cuisine. Il était en train de remplir un verre avec du gin. Il avait apporté sa propre bouteille. Il a ouvert le frigidaire, comme s'il était chez lui, a fouillé dans le congélateur.

— Y a pas de glace, ici ?

J'ai fait un effort pour être gentille, selon la recommandation que maman nous avait faite avant son arrivée :

— Papa, je suis contente de te voir.

Il eut soudain honte de sa mauvaise humeur. Une sorte de brume a couvert ses yeux, comme chaque fois qu'il était ému et ne voulait pas le montrer.

— Comment va Dominique ? ai-je demandé.

— Bien. Il... Il vous fait dire bonjour.

J'ai senti à son hésitation que tu n'allais pas nécessairement bien, et que tu ne nous faisais pas dire bonjour non plus. J'ai pensé à Monsieur Toki, va savoir pourquoi, et j'ai compris à quel point tu me manquais.

Finalement, papa a trouvé un petit hôtel, pas loin de chez nous, où il va rester pour la fin de semaine. Il s'est plaint du prix trop élevé, de la petitesse des chambres, du petit déjeuner immangeable, mais enfin, il était logé, c'était déjà ça de pris. Il avait prévu nous emmener dans le quartier chinois pour le lunch, Fanfan, ma jumelle et moi, et nous a suggéré de porter les robes en tissu-éponge de Madame K pour l'occasion. On n'osait pas lui dire à quel point on les trouvait affreuses, mais maman, d'un regard, nous fit prendre la voie diplomatique. Les robes étaient un peu trop grandes, on a été obligées de rouler les manches et, en plus, le tissu piquait. Lorsqu'on s'est plantées devant elle pour avoir son avis, elle nous a dit avec une lueur malicieuse dans l'œil qu'on serait jolies, même dans des sacs de patates.

*

On était au milieu du mois de mars, mais il faisait chaud comme un jour d'été. Papa a décidé d'aller fumer sa pipe sur le balcon avant d'aller manger. Maman eut beau lui dire que la fumée ne la dérangeait pas, il tint mordicus à fumer sur le balcon, ce que je trouvai très gentleman de sa part. Après un moment, commençant à avoir l'estomac dans les talons, je suis allée sur le balcon pour voir où il en était et sur le balcon attenant, j'ai aperçu la voisine, sur sa chaise longue, qui prenait du soleil en tenant une sorte de panneau en aluminium sous son visage. Elle avait les seins nus, tu sais, des seins de dictionnaire, je veux dire des seins ronds, comme on en voit dans les reproductions de peintures du *Larousse illustré*. Son corps, déjà bronzé, luisait au soleil comme un sou neuf. Papa était accoudé sur la balustrade, sa pipe coincée entre les dents, et il jetait des coups d'œil à la voisine, essayant d'être le plus discret possible, mais ça ne prenait pas la tête à Papineau pour comprendre ce qui l'intéressait. Un effluve de noix de coco mêlé à l'odeur du tabac me passa sous le nez.

— Papa, on a faim, dis-je à mi-voix, pour ne pas trop le déranger dans sa contemplation.

Il a sursauté légèrement, s'est tourné vers moi, l'air vaguement coupable. De toute évidence, la voisine a compris son manège. Elle l'a fusillé des yeux tout en se couvrant les seins avec son panneau en aluminium, et elle est rentrée chez elle en claquant la porte. Un peu de peinture est tombée par terre sous le choc. Papa a pris une bouffée de sa pipe et la fumée l'a entouré soudain d'un halo protecteur.

Papa conduisait toujours de la même manière, avec des départs et des arrêts brusques, mais à Montréal, il se faisait klaxonner encore plus que d'habitude. Tout le trajet vers le quartier chinois fut ponctué de jurons, mais comme il fredonnait aussi, il n'était pas vraiment de mauvaise humeur, ce que j'attribue en partie aux seins de dictionnaire. On n'était pas au bout de nos peines, puisqu'il fallait stationner dans une des rues étroites et encombrées du quartier chinois. On a tourné en rond pendant une dizaine de minutes. Chaque fois qu'il croyait dégoter un espace, c'était devant une borne-fontaine. On a stationné finalement dans un parking payant, ce qui nous a valu une autre diatribe sur la pègre montréalaise qui extorque de l'argent aux contribuables avec la bénédiction du gouvernement. Quand on s'installa enfin à une table d'un restaurant chinois bondé, il était d'une humeur massacrante. Il rudoya le garçon de café parce que ce dernier avait placé les couverts directement sur la table au lieu de les mettre sur des napperons en papier, ce qu'il décréta antihygiénique. Il trouvait le service trop lent, ou trop rapide, prétendit que le garçon déposait les assiettes trop brusquement sur la table et renvoya sa bière qu'il jugea trop tiède. Le garçon avait le visage de plus en plus fermé, la tension montait, on aurait voulu être ailleurs pour voir si on y était. Quand papa s'est levé pour aller aux toilettes, Fanfan s'est penché vers nous et nous a dit, sûr de son fait :

— Quand les Chinois ne sont pas contents, ils crachent dans les plats.

On accueillait généralement les remarques de notre petit frère avec un scepticisme d'aînées (même si on a juste un an et demi de différence avec lui), mais cette fois, on ne put s'empêcher de jeter un regard inquiet à nos assiettes presque terminées.

Le liquide transparent

De retour à la maison, ma jumelle et moi avons regardé *Bugs Bunny* à la télé, installées sur la grosse Bertha. Papa s'est rendu dans la cuisine. Il est revenu avec un verre rempli à ras bord de liquide transparent.

— Où est votre mère ? dit-il en tâchant d'avoir l'air indifférent.

On n'en avait pas la moindre idée. Elle était sûrement allée faire les courses. Le téléphone sonna, papa répondit, le ton rogue.

— Allô. Non, elle est pas là. C'est son *mari* à l'appareil. Très bien, je prends le message.

Il a noté un nom sur une feuille de papier. Sa main tremblait. Il a fini son verre, est retourné dans la cuisine. Notre amie Isabelle est venue faire un tour, elle s'est installée avec nous dans la salle de télévision pour regarder *Thierry la Fronde*. Nous adorions Thierry la Fronde, ses yeux et sa bouche tendres, et rien ne nous épatait davantage que de le voir embrasser la main d'Isabelle (sa fiancée, pas ma copine, quoiqu'elle eût bien voulu être à sa place), tout en rêvant de les voir un jour s'embrasser sur la bouche, ce qui n'arriva jamais.

Papa nous a rejointes. Il avait un verre à la main, j'entendais les glaçons tinter, il tanguait légèrement, son visage s'était empourpré, ses yeux étaient striés de rouge. Il se présenta à Isabelle, essayant d'avoir l'air naturel. Il parlait plus lentement, comme lorsqu'on installe un barrage pour contrôler le débit de l'eau. Parfois, il s'appuyait sur le chambranle de la porte pour ne pas perdre l'équilibre. Isabelle le regardait froidement, sans sourire, l'air d'une entomologiste examinant un spécimen d'insecte rare. Je gardais les yeux baissés, j'aurais voulu qu'il s'en aille, que mon amie Isabelle ne l'ait jamais jamais vu appuyé sur le chambranle de la porte avec un sourire incertain aux lèvres et son regard presque implorant. Il est retourné vers la cuisine, mettant attentivement un pied devant l'autre pour ne pas trébucher. Isabelle l'a suivi des yeux.

— Qu'est-ce qu'il a, votre père ? Pourquoi il est tout rouge ?

J'ai répondu un peu trop vivement :

— Il a pris un coup de soleil.

Ce qui n'était pas entièrement faux. Était-ce un mensonge blanc ? Maman m'avait expliqué qu'un mensonge blanc consistait à ne pas dire toute la vérité lorsqu'on voulait épargner ou protéger quelqu'un. Isabelle avait un sourire sceptique.

— C'est à cause de son coup de soleil qu'il marche tout croche ?

Ma jumelle a sauté dans l'arène :

— Il a attrapé la polio quand il était petit.

Ça, c'était un mensonge tout court, mais ma jumelle l'a proféré sans hésitation. On sonna à la porte au même moment. C'est papa qui alla répondre, tenant toujours son verre à la main. Je le suivis pour parer à toute éventualité. C'était Monsieur Vendôme, il venait chercher Isabelle pour le souper. Il jeta un regard désapprobateur à papa, puis tira Isabelle par le bras, comme s'il voulait la sortir au plus vite d'un gouffre de turpitude.

Maman est revenue, les bras chargés de sacs d'épicerie. Papa est allé à sa rencontre, un autre verre à la main. Si j'en juge par ses allers-retours dans la cuisine, je crois que c'était le quatrième.

— Où t'étais ?

Maman désigna ses paquets.

— Il me semble que c'est évident.

— Ça prend pas trois heures pour faire l'épicerie. Y a un certain Jacques qui a appelé. C'est lui, ton amant ?

Maman a haussé les épaules et s'est dirigée vers la cuisine avec ses paquets. Papa l'a suivie. On a entendu des mots qui annonçaient un début d'orage. Fanfan est arrivé à la maison sur les entrefaites et s'est assis avec nous sur la grosse Bertha.

— Je te dis que t'étais pressée de me remplacer !

— C'est un collègue. De toute façon, ça te regarde pas !

— Certain que ça me regarde. On n'est pas encore divorcés, je suis encore ton mari.

— On est séparés. T'as plus aucun droit sur moi.

— Quel exemple tu donnes aux enfants ? Je vais te dénoncer en cour ! Le juge va me redonner mes enfants !

— T'es pas bien placé pour me faire la leçon. Tu diras à Madame K que mes enfants n'ont pas besoin de vêtements, j'ai les moyens de leur en acheter !

Ma jumelle s'est levée, a mis le son de la télé un peu plus fort. Fanfan, ma jumelle et moi, on s'est collés les uns contre les autres sur le divan, comme si on était en dessous d'un arbre et qu'on voulait se protéger de la pluie. À toi, Dominique, je peux bien l'avouer. À ce moment précis, j'aurais voulu que papa ne revienne plus jamais nous voir. J'aurais voulu qu'il ne soit pas mon père.

Papa est parti. La paix était revenue. Maman nous a bordés dans nos lits. Fanfan l'a regardée avec ses grands yeux du même velours qu'elle.

— Pourquoi papa veut te dénoncer au juge ?

— Il le fera pas. Il a dit ça parce qu'il était fâché.

— Pourquoi il est fâché ?

Fanfan était toujours dans sa phase des « pourquoi ».

— Parce qu'il est malheureux.

— Pourquoi il est malheureux ?

— Parce qu'il vous aime, et qu'il trouve ça difficile de pas vous voir plus souvent.

Fanfan réfléchissait.

— S'il nous aime, pourquoi il veut te dénoncer en cour, d'abord ?

Bonne question. Maman soupira.

— Il le fera pas.

Fanfan continuait à réfléchir.

— C'est qui, Jacques ?

Maman l'embrassa sur le front.

— Un ami.

Le lendemain matin, on est allés retrouver maman dans son lit, elle avait mal à la tête. Ça faisait un bout de temps que ça ne lui était pas arrivé. Nous lui avons apporté ses aspirines et sa débarbouillette froide mais, par chance, le mal de tête a duré moins longtemps qu'avant. En sortant pour jouer dehors, on a aperçu Isabelle assise sur les marches, l'air taciturne. Elle portait un chapeau et des gants, une robe bleue qui dépassait de son manteau boutonné en jaloux, comme disait grand-mère. On s'approcha d'elle :

— Veux-tu jouer ?

Elle secoua la tête.

— Je peux pas.

— Pourquoi ? T'es malade ? lui demanda ma jumelle, inquiète.

C'est vrai que son petit visage était plus pâle que d'habitude.

— Je m'en vais à la messe.

— On pourra jouer, après la messe ?

— Non.

— Pourquoi ?

— Mon père veut plus que je vous fréquente.

— Pourquoi ?

Ma jumelle avait attrapé la manie des « pourquoi » de Fanfan. Isabelle hésita avant de répondre.

— Parce que…

— Parce que quoi ?

— Parce que vos parents sont divorcés !

Ma jumelle vit rouge.

— Ils sont séparés, pas divorcés ! Et puis tes parents devraient faire la même chose au lieu de se lancer des chaises par la tête !

Isabelle s'est levée, blême de rage.

— C'est même pas vrai ! T'es juste une mautadite menteuse !

Isabelle monta les marches en courant. La porte d'entrée se referma avec un claquement sec. Ma jumelle et moi avons échangé un regard malheureux.

— T'aurais peut-être pas dû lui dire que…

Ma jumelle m'interrompit vivement :

— C'est elle qui a commencé !

Elle donna un coup de pied à un fragment de neige, reste informe du bonhomme de neige qui avait été détruit par Clowé. Monsieur Vendôme, portant un paletot et un chapeau sombres, sortit de l'immeuble. Il tenait Isabelle fermement par le bras. Sa femme le suivait, discrète et menue. Monsieur Vendôme passa à côté de nous, puis s'arrêta. Isabelle avait le nez vissé sur ses chaussures.

— Vous n'allez pas à la messe, les enfants ? susurra-t-il, le visage confit dans le vinaigre.

— Non, rétorqua ma jumelle, on est agnostiques.

Monsieur Vendôme fut aussi interdit que s'il avait reçu une balle de golf entre les deux yeux. Il poussa une sorte de « hoummf », puis poursuivit son chemin, obligeant Isabelle à le suivre *manu militari*. Seule Madame Vendôme nous fit un sourire timide sous la voilette de son chapeau, puis s'éloigna à petits pas.

L'équinoxe de printemps

Après sa prise de bec avec Isabelle, ma jumelle marcha sur son orgueil et alla s'asseoir à côté d'elle en classe. Elle fit même un effort pour lui sourire, mais Isabelle l'ignora. Pire, elle prit ses affaires et alla s'asseoir quelques pupitres plus loin. Il y eut des murmures, des regards appuyés devant un affront aussi évident, mais ma jumelle fit bravement mine d'écouter Madame Dozois. Nous étions le 21 mars, Madame Dozois nous expliquait que c'était l'équinoxe de printemps, période de l'année où, le soleil passant par l'équateur, le jour a une durée égale à celle de la nuit, d'un cercle polaire à l'autre. Je me suis soudain sentie comme un fétu de paille sur un radeau, au milieu d'un océan plane, avec ma vie d'avant d'un côté et ma vie future de l'autre, sans que je sache de quoi elle serait faite. Isabelle était en train de griffonner quelque chose, ses bajoues d'écureuil remuaient légèrement pendant qu'elle écrivait. Profitant du fait que Madame Dozois avait le dos tourné, elle plia le billet et le glissa à une compagne. Cette dernière lut le billet, nous regarda d'un drôle d'air, le replia et le passa à sa voisine. Le billet fit le tour de la classe et, chaque fois qu'il était lu, il semblait avoir le même effet et nous valait un regard scandalisé. La cloche sonna, mettant fin au manège, mais pas à notre supplice.

Pendant la récréation, ma jumelle et moi jouions à la marelle. On a vu Isabelle, de loin, s'approcher d'un groupe de filles, leur parler sans qu'on puisse l'entendre, mais comme elle nous montrait du doigt, il était évident qu'elle parlait de nous. D'autres groupes se formaient, et Isabelle allait les voir un à un.

Bientôt, toutes les élèves de l'école semblaient nous regarder. Marie Lavoie, une première de classe, vint nous voir, visiblement embarrassée.

— Il paraît que vos parents sont divorcés et que votre père est alcoolique, mais je suis sûre que c'est pas vrai.

Elle s'éloigna rapidement. Ses paroles, censées être rassurantes, nous transpercèrent comme les aiguilles du docteur Beaulieu. Nous nous sommes pris la main, ma jumelle et moi. Je serrais la sienne très fort, on n'était même pas obligées de se regarder pour savoir ce que ressentait l'autre. Il y avait un mur entre nous et le monde extérieur, il était transparent mais infranchissable. En même temps, je ressentais une étrange exaltation, tu sais, celle qu'on éprouve, même quand on a de la peine, parce qu'on a le sentiment d'exister. Je me suis dit, dans mon « fort » intérieur, on est deux. Deux pour affronter ces regards hostiles, ces visages fermés, ces rires en coin. Deux pour être ensemble quand personne ne veut de nous. Deux pour avoir le courage de ne pas pleurer.

Tu m'as dit, quand j'avais six ou sept ans, que chaque être humain avait un double, quelque part dans le monde, et qu'il passait sa vie entière à le chercher. Je me demande souvent si ta vie aurait été différente si tu avais trouvé le tien.

*

Quand on est rentrées à la maison, maman était en train de travailler, on entendait le cliquetis de sa machine à écrire, mais la porte de son bureau était entrouverte. On a cogné à la porte et on est restées debout sur le seuil. Il y avait des dictionnaires empilés sur son pupitre. Elle nous a aperçues du coin de l'œil.

— J'ai un *deadline*, je dois absolument remettre mon article à la fin de la journée.

On avait cherché les mots *dead* et *line* dans le dictionnaire Webster. Ça voulait dire littéralement : *ligne morte*. On ne comprenait pas ce que ça signifiait au juste, mais on savait que beaucoup de choses tournaient autour de cette « ligne morte », comme les planètes tournent autour du soleil. Quand maman avait un *deadline*, il ne fallait pas la déranger, à moins d'une urgence nationale. Il fallait parler à mi-voix et ne pas mettre le son de la télé trop fort.

— On veut pas te déranger…

Elle a bien vu à notre air qu'on avait le caquet bas.

— Qu'est-ce qu'il y a, les petites filles ?

Crois-le ou non, elle nous appelle encore aujourd'hui les petites filles. On lui a demandé, en essayant d'avoir l'air neutre, mais c'était vraiment difficile, à cause de l'émotion et tout le toutim :

— Est-ce que c'est vrai que papa est alcoolique ?

Maman a accusé le coup. Visiblement, elle ne s'attendait pas à une telle question.

— Pourquoi vous me demandez ça ?

On n'a rien dit. On ne voulait surtout pas avoir l'air de porte-panier en racontant l'incident survenu à l'école. Mais rien ne lui échappait.

— Quelqu'un vous a dit ça à l'école ?

Quand je te dis que rien ne lui échappe… On ne répondait toujours pas, mais elle a interprété notre silence comme un oui. Elle a commencé à parler avec précaution, comme si elle devait traverser un ruisseau en marchant sur des pierres pour ne pas se mouiller les pieds.

— C'est vrai que votre père a un problème. Quand il commence à boire, il ne voit pas le fond de la bouteille.

On l'a regardée sans comprendre. Elle a décidé d'être plus explicite.

— Il a de la difficulté à s'arrêter, même si ça lui fait du tort. C'est une sorte de… maladie.

Ma jumelle a levé les yeux vers elle. Ils avaient pris une teinte « vert chat », comme ceux de papa quand il était sur le point de se fâcher ou qu'il avait de la peine.

— Est-ce que ça se guérit ?

— Ça dépend. Il faut que la personne reconnaisse qu'elle a un problème, et c'est pas le cas de votre père. Enfin, pas pour le moment.

— C'est pour ça que tu t'es séparée ?

— Pas juste pour ça. On se disputait beaucoup, et je ne voulais pas que vous soyez élevées dans la chicane.

Ma jumelle a éclaté :

— Pourquoi t'as marié papa ? Pourquoi on peut pas être une famille comme les autres ? Tout le monde est au courant, à l'école ! On a perdu notre seule amie !

Elle était en colère, mais s'était mise à pleurer. Et moi, quand je vois ma jumelle pleurer, je fais pareil, c'est plus fort que moi. Maman nous a tendu chacune un Kleenex. Elle nous a frotté gentiment le dos, malheureuse de nous voir dans cet état.

— Je suis sûre que les choses vont se replacer.

— Non, les choses se replaceront pas ! s'écria ma jumelle, la voix cassée.

— Il faut pas accorder d'importance aux qu'en-dira-t-on. Il y a bien des parents qui décident de rester ensemble même quand ils ne s'entendent pas, juste pour sauver les apparences. Si j'étais restée avec votre père, on aurait peut-être fini par se battre.

— Comme les Vendôme ? dit ma jumelle.

— Comme les Vendôme. Si Isabelle n'est pas capable de vous accepter telles que vous êtes, c'est qu'elle n'est pas vraiment votre amie.

On a entendu la sonnette de la porte d'entrée. C'est fou, j'ai eu peur que ce soit la sœur directrice qui venait nous avertir qu'on était renvoyées de l'école parce que papa était alcoolique. C'était la voisine. Elle avait revêtu ses plus beaux atours, avait retrouvé son sourire et ses cheveux étaient enroulés autour de sa tête dans une torsade savante. Elle tenait une grosse valise rouge à la main.

— Bonjour, roucoula-t-elle, j'espère que je vous dérange pas.

Maman essaya d'avoir l'air rogue, mais elle en était génétiquement incapable. La voisine poursuivit avec une jovialité suspecte :

— Je pars en tournée, je me demandais si vous auriez pas la gentillesse de nourrir mon chat pendant mon absence.

— C'est que je suis allerg…

La voisine la coupa :

— Vous êtes adorable !

Elle a baissé la voix, a pris un air complice, comme si elle et maman avaient élevé les cochons ensemble :

— J'ai mis la clé sous le paillasson.

Elle a tourné les talons et est partie en coup de vent, laissant une odeur musquée dans son sillage. Maman était visiblement mécontente.

— Eh que je suis stupide ! Vous m'entendez les petites filles ? Je suis stupide !

Le même soir, maman a pris la clé sous le paillasson et est entrée chez la voisine. Elle tenait à ce qu'on l'accompagne, pour éviter tout contact direct avec le chat. Le logement était dans un désordre inouï, des vêtements, des assiettes, des verres sales traînaient un peu partout. Le chat était introuvable, mais son existence ne faisait pas de doute, car il y avait des poils blancs partout, et une odeur d'urine sautait au nez.

— Minou minou minou… Minou minou minou…

Toujours pas de chat à l'horizon. Tout à coup, j'ai aperçu une grosse boule qui gonflait l'édredon, sur le lit, dans une des chambres. Je l'ai soulevé doucement, et une tête de minou est apparue, toute blanche avec une tache noire sur la joue droite. Maman a commencé à éternuer. Elle est allée dans la cuisine à la recherche de nourriture pour chats.

— Ah non ! Dis-moi pas !

Je l'ai rejointe dans la cuisine, le beau minou blanc angora dans les bras. Il ronronnait comme une forge. Maman était découragée.

— Elle a pas laissé de nourriture, même pas une miette !

On est allées à l'épicerie du coin pour acheter une provision de Puss'n Boots. Dans le Webster, ça se traduisait par *minet dans les bottes,* ce qui était assez étrange, mais maman m'a expliqué qu'il s'agissait du Chat botté, le même que dans le conte de Perrault. Nous sommes retournées dans le logement de la voisine pour nourrir le chat qui miaulait en se frottant sur les jambes de notre pauvre mère. Cette dernière se tenait le corps droit et les oreilles molles, comme disait grand-maman, endurant stoïquement ses caresses. De retour chez nous, elle continua d'éternuer, puis eut une quinte de toux. On a su plus tard que c'était de l'asthme. Maman nous a confié, à ma jumelle et à moi, la tâche inespérée de nourrir le chat.

*

La voisine revint de sa tournée au bout de cinq semaines. On l'a su parce qu'on a entendu tout à coup sa musique à tue-tête et du remue-ménage chez elle. Maman était enragée, mais comme elle déteste improviser à cause de sa timidité, elle décida d'écrire le texte de la diatribe qu'elle allait lui servir et le répéta devant nous : « C'est inadmissible de partir aussi longtemps en nous laissant la responsabilité de nourrir votre chat et de changer sa litière sans provisions ni même un montant d'argent pour couvrir les frais. J'ai toujours eu de bons rapports avec mes voisins, et je trouve important de rendre service, mais vous avez abusé de ma bonne volonté et c'est la dernière fois que…»

Elle leva la tête :

— Ça va, les enfants ? Je suis pas trop dure ?

Dure, maman ? La voisine ne méritait pas autant de politesse ! Mais on approuva tout de même le texte. Son papier à la main, elle alla sonner à la porte de la voisine. Pas de réponse. Elle fut obligée de frapper, à cause de la musique. La voisine ouvrit la porte, jeta un regard vaguement ennuyé à maman, qui commença à lire son texte :

— « C'est… c'est inadmissible de partir aussi longtemps en nous laissant la respons… »

La voisine l'interrompit en plein élan :

— Je vous ai pas obligée à me rendre service. Vous auriez pu laisser Flocon mourir de faim.

Maman était sidérée par sa mauvaise foi. Ça l'a fait sortir, sinon de ses gonds, du moins de son texte.

— Vous savez très bien que je l'aurais pas laissé mourir de faim ! Vous auriez au moins pu acheter des provisions. C'est très coûteux, et…

— Je vais vous rembourser ! Je suis pas une profiteuse !

Et elle lui claqua la porte au nez. Maman en eut des larmes de rage aux yeux. La porte s'ouvrit de nouveau, la voisine tendit un billet de cinq dollars à maman. Comme par enchantement, elle avait retrouvé son sourire avenant.

— Merci encore, hein. Entre voisines, on est là pour s'entraider.

Elle a aussitôt refermé la porte, sentant que, cette fois, elle avait poussé les bornes un peu trop loin.

— Cinq dollars, même pas de quoi nourrir son maudit chat pendant une semaine ! a maugréé maman.

Monsieur Vendôme

Après le pénible épisode des rumeurs, ma jumelle et moi appréhendions le retour à l'école. On s'attendait à être accueillies en *persona non grata*. Contre toute attente, nos compagnes de classe étaient tout miel et un peu honteuses, comme lorsqu'on a trop mangé et que la satiété s'accompagne d'un léger remords. Même la sœur directrice, que l'on a croisée dans un corridor, nous a gratifiées d'un rare sourire. Quant à Isabelle, elle nous a offert de jouer avec son bolo pendant toute la durée de la récréation, et ne s'est pas formalisée du fait que j'aie fini par rompre l'élastique. Je ne comprenais pas pourquoi on avait fait de nous des pestiférées, mais je comprenais encore moins ce qui nous avait valu notre retour en grâce.

Maman nous disait souvent que, dans la vie, tout n'est pas noir ou blanc et que la méchanceté, pas plus que la bonté, n'existent à l'état pur. Prends le Petit Poucet. De prime abord, le fait que ses parents l'ait abandonné, lui et ses frères et sœurs, en pleine forêt, était d'une méchanceté sans nom. Mais ils l'ont peut-être fait parce qu'ils étaient pauvres et n'avaient pas assez à manger. Dans *Perry Mason,* ça s'appelle des *circonstances atténuantes*.

Comme toujours, maman avait raison : les choses se sont replacées, Isabelle est redevenue notre meilleure amie. Elle nous a dit qu'elle nous plaignait d'avoir un père alcoolique, ce à quoi j'eus envie de répondre que je la plaignais d'avoir un père fou, mais le désir de la réconciliation prit le dessus sur la franchise. On n'a plus jamais parlé de l'alcoolisme de papa, ni du fait que nos parents étaient séparés.

Isabelle semblait se soucier comme de sa dernière chemise du fait que son père lui avait interdit de nous fréquenter. Monsieur Vendôme en était réduit à nous faire des reproches dès qu'il en avait l'occasion. Une fois, Isabelle et moi marchions main dans la main sur la rue, au retour de l'école, lorsqu'il nous a aperçues :

— Il ne faut pas se tenir la main en public ! C'est une habitude vicieuse qui mène tout droit à la dépravation ! s'écria-t-il, le cou engoncé dans une écharpe, le nez rouge à cause d'un vilain rhume.

Dépravation : N.F. Déviation contraire à la nature, à la norme sociale. Comment tenir la main de sa meilleure amie pourrait-il mener à la dépravation ? Mystère et boule de gomme. Maman, lorsque je lui fis part du commentaire de Monsieur Vendôme, traita ce dernier de puritain.

— *Puritain : N.M. Membre d'une secte rigoriste*, lit tout haut ma sœur jumelle dans le dictionnaire.

Ces mots donnèrent soudain à Monsieur Vendôme une allure presque menaçante.

Chaque jour, beau temps mauvais temps, Monsieur Vendôme sortait, un journal sous le bras et un attaché-case à la main. Il prenait un air important et, lorsqu'il croisait maman sur le palier, il lui disait qu'il se rendait à une réunion de premier plan avec l'élite de notre société, sans jamais préciser laquelle.

Un matin, Monsieur Vendôme était sorti comme d'habitude, avec son journal et son attaché-case. Il verglaçait. Tout à coup, il a glissé sur le trottoir, s'est accroché à un poteau et a laissé tomber son attaché-case, qui s'est écrasé sur le pavé et s'est ouvert sous le choc. Des feuilles de papier journal roulées en boules en sortirent. Monsieur Vendôme s'est jeté sur les boules de papier que le vent emportait, tentant de les remettre dans l'attaché-case. Son chapeau fut emporté par une bourrasque et atterrit dans une flaque de boue. Je courus après le chapeau, le pris, le secouai pour enlever l'eau fangeuse, et je le rapportai à Monsieur Vendôme. Il était hagard, ses rares cheveux collés sur le crâne, des rigoles de pluie ruisselaient sur ses joues pâles. Il a soudain eu l'air d'un très vieux monsieur. Je lui ai tendu son chapeau, il me l'a arraché des mains.

— Mon chapeau est ruiné ! s'exclama-t-il, indigné, comme si c'était ma faute.

Il a réussi à fermer son attaché-case et est reparti sans un mot. Sa grosse silhouette s'éloignait à pas précautionneux sur le trottoir glacé. Je sais que tu détestes ce mot, mais il m'a fait pitié. J'ai vu pour la première fois, derrière sa carapace autoritaire et suffisante, ses tentatives dérisoires pour masquer sa misère.

*

On commençait à s'habituer aux mœurs étranges de l'académie Saint-Joseph, et nos compagnes de classe commençaient à s'habituer à nous. Le fait qu'on soit jumelles semblait susciter un certain intérêt, surtout quand on disait exactement la même chose en même temps. Pour ma jumelle et moi, c'était d'une banalité navrante, même qu'on trouvait ça agaçant, parfois, étant donné nos efforts pour nous différencier. Plusieurs élèves, à l'instar de Mimi, étaient convaincues que nous faisions de la télépathie. Nous avons fait des tests : ma jumelle pensait à un mot, à une couleur ou à un chiffre, j'essayais de le deviner. Une fois sur deux, je réussissais, et vice-versa. D'après Luc, ces résultats étaient simplement une conséquence de la loi des probabilités, et ne signifiaient pas du tout que nous avions un don.

Luc était le seul, dans la famille – à part maman –, à avoir un esprit cartésien. Il n'a pas ton talent pour les versions latines et ne récite pas Shakespeare et Racine de mémoire, mais c'est un génie de la mécanique. Il est capable de démonter le grille-pain ou la radio, et de les remonter en un tournemain, sans perdre une vis. Cette manie agaçait maman parce que, pendant ce temps-là, on ne pouvait se servir de l'objet en question. Elle n'était vraiment pas contente, la fois qu'il a démonté sa machine à écrire.

— C'est mon instrument de travail ! Je ne pourrai pas respecter mon *deadline* !

Luc a remonté la machine à écrire en quinze minutes et a même réussi à réparer la lettre p, qui sautait une fois sur deux, et que maman devait chaque fois tracer minutieusement à la main. Mais il n'eut plus souvent l'occasion d'exercer ses talents sur les objets démontables de l'appartement : il était tombé amoureux. C'est curieux, ce mot *tombé,* comme si l'amour était une chute. Je l'ai deviné à cause de ses cheveux, qu'il enduisait depuis quelque temps de Brylcream, monopolisant la salle de bains pendant des heures, sans compter un effluve de Fabergé brut qui le suivait partout. Sa flamme habitant à Sherbrooke, il s'absentait de plus en plus souvent.

Un soir, pendant le souper, il nous a annoncé qu'il partait s'installer là-bas pour s'inscrire à une école technique, et qu'il se marierait après ses études. Maman l'a félicité, lui a dit qu'elle était heureuse pour lui, mais je l'ai vue pleurer dans la salle de bains. Elle nous avait appris l'esprit d'indépendance, mais souffrait parfois lorsqu'on l'exerçait.

*

Une fois le *deadline* passé, maman était toujours de bonne humeur, elle nous emmenait fêter au restaurant. Quand elle avait des sous, on allait au Bouvillon. Quand elle était à sec, on allait au snack-bar du quartier, où l'on servait les meilleurs hot-dogs et frites sauce en ville. Une fois, on fêtait la « fin d'un *deadline* » au snack-bar parce que maman n'avait pas encore été payée pour sa traduction. On a vu Monsieur Vendôme assis au comptoir. Quand il nous a aperçus, il est devenu cramoisi et a fait semblant qu'il ne nous voyait pas. On s'est installés à une table. Après un moment, Monsieur Vendôme s'est levé, s'est approché de notre table, s'est penché vers maman, comme pour lui dire un secret, une trace de moutarde oubliée au coin de sa bouche :

— Vous savez, je ne viens pour ainsi dire jamais dans ce genre de *boui-boui,* c'est juste un hasard si je m'y trouve…

Maman le regarda avec une ironie teintée d'amusement :

— Vous n'avez pas à vous excuser, Monsieur Vendôme, un bon hot-dog de temps en temps, ça n'a jamais tué personne.

Les yeux de Monsieur Vendôme, déjà petits, se recroquevillèrent un peu plus, il leva son nez en l'air et s'en alla, laissant dans son sillage son odeur habituelle de tabac et de naphtaline. Maman, qui se retenait poliment de rire, s'esclaffa.

— Pauvre homme, comme si c'était la fin du monde, d'être vu dans un snack-bar !

Papa aussi pouvait être snob. Il accordait beaucoup d'importance aux signes extérieurs de la réussite : une rutilante Buick de l'année, des complets faits sur mesure, une maison dans un beau quartier. Au fond, il se doutait bien de la vacuité des apparences, mais il s'y accrochait d'autant plus, comme s'il eût été engagé dans une lutte contre sa propre disparition. Tu te souviens, pendant les repas de famille, il disait parfois : « Ce n'est pas pour me vanter, mais… »

As-tu remarqué, quand on commence une phrase par « ce n'est pas pour me vanter » ou « ce n'est pas pour te faire de la peine », c'est exactement ce qu'on s'apprête à faire, mais en niant ses intentions à l'avance, pour se dédouaner. Quand papa commençait par son fameux « Ce n'est pas pour me vanter… », on savait qu'il ferait l'énumération de ses exploits. On gardait un silence poli, il en remettait, ce qui nous enfonçait encore plus dans le silence. Piqué au vif, il finissait par déclarer, avec un trémolo dans la voix :

— Un jour, vous comprendrez à quel point votre père est un homme important !

Ce qui exaspérait maman :

— Le cimetière est rempli de gens importants !

Une fois, tu lui as dit que s'il nous laissait le temps de lui faire un compliment, il n'aurait pas besoin de s'en faire à lui-même.

Papa s'est tourné vers toi, j'ai eu peur qu'il t'envoie promener ou te traite de *bonarien*. Il t'a dit, avec une douceur qui m'a étonnée :

— La prochaine fois, je te laisserai le temps.

Et vous vous êtes regardés, complices tout à coup, comme deux boxeurs qui profitent d'une trêve avant de reprendre le combat.

Un voyage à Ottawa

Papa venait de téléphoner, il voulait qu'on lui rende visite à Ottawa. Nous n'étions pas retournés à notre ancienne maison depuis la séparation de nos parents. La perspective d'y revenir me remplissait d'anxiété. Pas que je n'avais pas très hâte de te revoir, ou que je déteste papa. J'avais peur qu'il nous oblige à faire une visite protocolaire à Madame K, ou qu'il essaie de nous convaincre à nouveau d'habiter avec lui dans la grande maison, ou qu'il boive un peu trop de gin. De temps en temps, je voudrais mettre papa entre parenthèses, dans un monde ouaté et lointain où je n'entendrais pas les glaçons tinter dans son verre, où je ne verrais pas son pas chancelant devant mon amie Isabelle, son humeur sombre qui déteint sur tout.

Comme s'il avait prévu à l'avance nos objections, il nous a fait parvenir par la poste des billets de train aller-retour. Maman était d'accord avec ce voyage. Elle a beau avoir eu une vie impossible avec papa, il ne lui viendrait pas à l'esprit de se venger, de dire du mal de lui ou de l'empêcher de nous voir.

Le vendredi suivant, elle nous reconduisit donc à la gare, ma jumelle, Fanfan et moi. Elle portait son joli manteau orange et elle avait sur la tête un drôle de chapeau en paille blanche garni d'une profusion de fleurs artificielles qui n'arrivait pas à l'enlaidir. Le train était déjà en gare. Elle tint à nous faire asseoir elle-même à nos places dans le wagon et nous recommanda au moins trois fois au contrôleur.

— *All aboard, tout le monde à bord!*

Maman n'eut que le temps de descendre.

— Les jumelles, prenez bien soin de votre petit frère!

Debout sur le quai, elle nous envoya fébrilement la main, elle avait des larmes aux yeux, comme si on partait pour très longtemps. Moi aussi ça me donnait envie de pleurer, surtout quand j'ai entendu le sifflet d'un autre train qui entrait en gare, je ne sais pas pourquoi, ça m'a fait penser aux cloches qui sonnaient quand grand-maman est morte, et que grand-papa me serrait la main très fort. Notre train a démarré, la silhouette de maman s'éloignait, puis a disparu.

— Peut-être qu'on la reverra plus jamais, ai-je dit, la gorge serrée.

— T'es folle, a répliqué ma jumelle posément.

Je ne l'ai pas mal pris. Je savais qu'elle voulait me rassurer.

Papa nous attendait sur le quai de la gare en faisant les cent pas. Pour la première fois, je remarquai qu'il avait des cheveux gris. Il était content de nous voir, il nous serra un peu trop fort contre lui. Il était mal à l'aise avec l'expression des sentiments, comme quand on porte des souliers trop étroits.

— Vous avez grandi, les *jums*.

— Pas moi? demanda Fanfan, vexé.

— Toi aussi, Tom Pouce. D'au moins une pomme.

La première chose qu'on a faite, c'est de courir vers nos anciennes chambres. Elles étaient restées pareilles, les lits jumeaux l'un à côté de l'autre, séparés par une table de chevet, le papier peint orné d'oursons bleus et roses avec des rideaux assortis. C'était étrange de retourner dans cette chambre qu'on connaissait sous toutes ses coutures, qui nous semblait si familière mais en même temps *autre*, comme la gravure d'une maison dans un livre de contes, qu'on a vue mille fois mais qu'on n'a jamais habitée pour vrai.

— Les enfants ! Le souper est prêt !

En traversant le couloir en direction de la cage de l'escalier, on est passés devant la porte de ta chambre. Elle était fermée, mais il y avait une raie de lumière dessous. J'ai frappé, pas de réponse. Fanfan a murmuré :

— Il veut pas être dérangé.

Nous avons descendu l'escalier à pas feutrés. La sixième marche a craqué.

*

Quand nous sommes entrés dans la cuisine, un spectacle inhabituel nous attendait. Papa, un tablier à fleurs noué autour de la taille, debout devant la cuisinière, faisait à manger tout en sifflotant une chanson de Montand qui jouait à la radio. La « bible culinaire » de Jehane Benoît, ainsi que l'avait baptisée maman, était ouverte sur le comptoir. Elle l'avait laissée à papa pour qu'il puisse se débrouiller après son départ.

— Elle est laide comme un péché mortel, mais elle connaît son affaire, décréta papa en goûtant à son ragoût. Un verre rempli de liquide transparent était sur le comptoir, à portée de sa main. Il se rendit compte que tu n'étais pas avec nous. Il alla vers la porte de la cuisine et cria :

— Dominique ! Le souper est prêt ! Je te le répéterai pas trois fois !

Il revint vers la cuisinière, prit une bonne gorgée dans son verre. Son visage commençait à s'empourprer, signe que ce n'était pas son premier. Après quelques minutes, voyant que tu ne descendais pas, il a dit, entre ses dents :

— S'il veut pas se comporter comme du monde, tant pis pour lui.

On s'est mis à table. Papa était de mauvais poil, il nous a servis en silence. Ma jumelle et moi avons fait un effort pour relancer la conversation, mais papa répondait par monosyllabes. Au milieu du repas, tu es venu te joindre à nous. Tu étais habillé de noir des pieds à la tête. Tes cheveux avaient allongé, ça te donnait un air alangui et un peu triste. Papa t'a accueilli comme un chien dans un jeu de quilles :

— C'est pas la politesse qui t'étouffe !

Tu t'es servi sans rien dire. Tu étais gentil avec nous, mais on aurait dit que ça te demandait un effort. C'était plus un devoir de civilité qu'un véritable plaisir. Papa nous a posé des questions sur l'école avec une bonne volonté appliquée. On aurait dit un oncle qu'on voyait une fois ou deux fois par année. Puis il a pris un air faussement indifférent qui annonçait une question plus délicate :

— Comment va votre mère ?

— Très bien, a-t-on répondu en chœur.

Il hésita avant de poursuivre. Il était incapable de masquer complètement son malaise.

— Est-ce que… Est-ce qu'elle a… quelqu'un ?

On garda un silence circonspect. Il crut qu'on ne comprenait pas sa question et ajouta, embarrassé :

— Je veux dire, un ami.

Mon petit frère a répondu innocemment :

— Jacques. Mais on l'a jamais vu.

Papa s'est rembruni. Pour faire diversion, ma jumelle s'est tournée vers toi :

— Veux-tu jouer à Toki ? dit-elle avec un enthousiasme un peu forcé.

Tu as haussé les épaules.

— Toki n'existe pas.

On le savait déjà, mais ce n'est pas une raison pour ne pas faire semblant d'y croire. Quand tu as vu notre déception, tu as décidé de jouer le jeu, tu es sorti de la cuisine, le téléphone a sonné, Fanfan a répondu :

— Allô Toki !

On a parlé à Toki chacun notre tour.

— Où est rendu votre tunnel, Monsieur Toki ?

— J'i dépassé li milieu di la Terre, as-tu répondu, la voix haut perché.

— Il doit faire noir !

— Tlès noir, j'i apporté mi *flash light*.

— Est-ce qu'on va vous voir bientôt ?

— Tlès bientôt. D'après mi calculs, le tunnel va aboutir di votre jardin dans tlois semaines.

On continua à poser des questions à Monsieur Toki, mais le cœur n'y était plus, sûrement parce que le tien n'y était qu'à moitié.

Cette nuit-là, je me suis réveillée. J'entendais des bruits, j'avais un peu peur, je me suis levée, je me suis rendue jusqu'à la rampe de l'escalier et j'ai vu une raie de lumière en contrebas. J'ai descendu l'escalier. Je retenais ma respiration, il faisait sombre et la raie de lumière se découpait vivement dans la cuisine, comme dans un vieux film noir et blanc. Je t'ai aperçu, debout devant la cuisinière, en train de réchauffer une sauce à spaghetti.

— Dominique…

Tu as sursauté au son de ma voix. Tu t'es tourné vers moi, l'air très fâché.

— Qu'est-ce que tu fais là ? Tu m'as fait peur !

J'étais trop saisie pour parler. Tu as toujours été si doux, je n'étais pas habituée à ta voix rêche, tes sourcils froncés. Et puis, va savoir pourquoi, je me sentais coupable de t'avoir surpris dans la cuisine, comme si je t'avais volé quelque chose qui ne m'appartenait pas. Tu t'es radouci :

— Va te coucher. Les petites filles sont censées dormir, la nuit.

Je suis remontée vers ma chambre, le cœur gros. J'eus le sentiment que rien ne serait plus pareil entre toi et nous, que tu vivais dans un monde clos et secret auquel je n'avais plus accès.

Le lendemain matin, on est descendus pour le petit déjeuner, les Joyeux Troubadours chantaient à la radio « c'est comme ça qu'on est heureux », papa ronchonnait en lavant les casseroles et la vaisselle sales que tu avais laissées pêle-mêle sur le comptoir et la cuisinière. On se tint à carreau en attendant que l'averse passe. J'écris averse, parce qu'on sentait que ça ne durerait pas. Tu étais encore couché. Papa s'est tourné vers nous, faisant un effort pour être aimable :

— Qu'est-ce que vous diriez, si je vous faisais du pain doré ?

On a applaudi de joie. Papa nous a regardés, très ému :

— Vous allez voir, je fais le meilleur pain doré au monde.

Dans notre famille, on est portés à faire dans l'hyperbole. Après le déjeuner, l'inévitable arriva : une visite à Madame K. Elle n'avait pas changé, sa coiffure était toujours montée en gâteau sur sa tête. Je remarquai un fin réseau de rides autour de sa bouche et sur ses joues, quand elle se pencha vers moi pour m'embrasser. Elle appelait encore Fanfan « John John ». Son mari, le grand dégingandé, n'était pas là. Madame K n'a pas fait jouer de musique tzigane, cette fois, elle nous a demandé poliment des nouvelles de notre mère. On a répondu dans notre anglais approximatif :

— *She is nice* (voulant dire, elle va bien).

— *Oh yes indeed, I know she's a very nice person,* répondit-elle.

Il y avait un soupir dans sa voix.

Elle nous a offert des bonbons, des gâteaux, elle parlait vite, on ne comprenait que quelques mots ici et là, *lovely little girls, lovely little « John John », more cake, husband, hospital, very sad.* La visite ne dura pas très longtemps.

Dans la voiture, papa nous expliqua que le mari de Madame K était très malade, qu'il était à l'hôpital.

— Est-ce qu'il va mourir ? demanda Fanfan.

Papa fut pris de court par la question.

— Je ne sais pas.

Quand on est revenus à la maison, tu étais attablé dans la cuisine. Tu mangeais une tranche de pain tout en lisant un livre, une mèche de cheveux sur ton front pâle. La mauvaise humeur de papa revint au galop.

— Tu parles d'une heure pour te lever ! dit-il, le teint déjà rouge à cause du gin bu en quantité respectable chez Madame K.

Tu as continué à lire sans répondre. Papa s'est précipité vers toi, t'as pris brusquement par le bras. Le livre est tombé par terre. C'était écrit *Les fleurs du mal* sur la couverture.

— Tu vas me répondre, quand je te parle !

Tu t'es dégagé d'un mouvement sec, puis tu as dit tout bas, comme si tu te parlais à toi-même :

— Fous-moi la paix.

— Qu'est-ce que tu dis ? s'écria papa, la voix blanche.

— J'ai le droit de lire en paix !

— C'est moi qui te fais vivre, mon petit gars ! C'est moi qui paye la nourriture que tu manges au beau milieu de la nuit, comme un sauvage, c'est moi qui paye le toit sur ta tête, tu vas me montrer du respect !

— Je vais m'en aller !

— Comment tu vas faire pour vivre ?

— Je vais me débrouiller !

Tu es sorti de la cuisine en coup de vent, laissant le livre par terre. La porte d'entrée a claqué. Papa est resté un moment immobile. Il tentait de retrouver son calme. Puis il s'est assis. Il était malheureux, plein de remords, et en même temps, excédé.

— J'ai pas le tour avec lui. Ça finit toujours en chicane.

— Il va revenir, dit Fanfan en guise de consolation.

— Pour ça oui, il va revenir, répliqua papa, avec espoir et amertume.

Il avait raison, tu es revenu durant la nuit. J'ai entendu la sixième marche craquer et ensuite, tu as fait les cent pas dans ta chambre. Je suis passée à un cheveu de me lever et d'aller te retrouver. J'aurais voulu te demander quel pouvait être le lien entre les fleurs et le mal, mais je n'ai pas osé.

Le lendemain, nous avons fait joyeusement nos valises. J'étais soulagée à l'idée de partir et, en même temps, j'éprouvais un sentiment d'abandon. Je peux te le dire, maintenant que tu habites si loin, dans ce coin de pays froid et blanc, je t'en voulais de ne plus être le grand frère qui officiait tous nos plaisirs d'enfants et nous faisait rêver de mondes inconnus. On aurait bien voulu te dire au revoir, mais tu dormais encore.

Nous étions debout sur le quai de la gare, le ciel était ocre et bleu, des cercles de lumière blanche entouraient les arbres, des bourrasques de vent soulevaient nos jupes. Papa nous a embrassés.

— Faites attention à vous autres… Donnez-moi de vos nouvelles plus souvent… Dites à votre mère…

Ses mots se sont perdus dans le bruit du train qui entrait en gare. Une vague d'allégresse m'a prise à la gorge, bientôt, bientôt on sera de retour à la maison, dans notre taudis, comme disait papa, tout en couloirs sombres, mais où maman nous attendait. Le train a commencé à rouler sur la voie. Papa nous envoyait la main, un coup de vent l'a obligé à tenir son chapeau avec l'autre main. Il est resté longtemps sur le quai, continuant à nous envoyer la main.

Quand le train est arrivé à Montréal, on a été plongés dans la noirceur pendant un moment. Puis la lumière est revenue, on a cligné des yeux, on ne voyait plus rien, mais soudain Fanfan s'est écrié :

— Je la vois ! Je la vois !

Elle était là, avec son manteau orange et son drôle de chapeau à fleurs, nous cherchant des yeux, un sourire anxieux aux lèvres. Fanfan est descendu du train en trombe, a couru vers maman. Ma jumelle et moi, dans un sursaut de dignité, avons fait un effort pour ne pas courir. Maman nous a embrassés en murmurant qu'elle s'était ennuyée de nous.

Puis une silhouette apparut à côté d'elle. Un monsieur qui portait des lunettes en corne foncée derrière lesquelles brillait un regard bleu. Il avait un imper beige et un chapeau marron légèrement tiré vers l'arrière, découvrant un front large et dégarni, et des cheveux gris et blancs sur les côtés.

— Je vous présente Jacques. Un… ami.

Jacques… Ce prénom nous rappelait quelque chose. Il nous regarda en souriant. Il avait un plombage en or du côté droit. Et, crois-le ou non, des souliers blancs en cuir verni avec une ceinture assortie, ce qui n'arrangeait pas son cas.

— Votre mère m'a beaucoup parlé de vous, dit-il d'une voix suave.

Je l'haïs. De toutes mes forces, de toute mon âme, j'haïs son imper beige, son sourire avec sa dent en or, son chapeau tiré en arrière, ses souliers blancs en cuir verni, sa façon de susurrer « Votre mère m'a beaucoup parlé de vous », comme s'il avait du velours dans la bouche. Je l'haïs.

Troisième cahier

Il pleut des grenouilles

Le type avec la dent en or nous a reconduits à la maison dans sa grosse Oldsmobile vert olive, nous posant des questions banales : à quelle école on allait, en quelle année on était, etc. On répondait poliment (on a été bien élevés, tout de même), mais avec le minimum décent. Entre deux silences, maman bavardait, joyeuse, riant pour un oui ou pour un non. Ça faisait des lunes qu'on ne l'avait pas vue d'aussi bonne humeur. Je me suis dit que c'était sûrement le bonheur de nous retrouver, mais dans mon « fort » intérieur, je me doutais que le type y était pour quelque chose.

L'Oldsmobile s'est arrêtée devant la maison. Je dois admettre que, contrairement à papa, le type conduisait bien, il freinait doucement, comme si sa grosse voiture glissait sur une mer d'huile. Maman l'invita à manger une bouchée et, par chance, il refusa. Il nous salua d'un léger coup de tête, ayant instinctivement compris qu'il valait mieux pour lui ne pas tenter de nous embrasser, ou même de nous serrer la pince : je crois qu'on l'aurait mordu.

— Puis, comment l'avez-vous trouvé ? Il est sympathique, hein ? a dit maman, l'air tellement enthousiaste que ma jumelle et moi n'avons pas eu le cœur de la contredire.

— Il est vieux, décréta Fanfan.

Maman a ri :

— Il a juste deux ans de plus que moi !

On l'a regardée comme si elle venait de dire qu'il pleuvait des grenouilles.

— C'est pas parce que quelqu'un a des cheveux blancs qu'il est vieux, renchérit-elle. Votre grand-père avait les cheveux tout blancs à vingt-huit ans. C'est génétique.

Ma jumelle et moi décidâmes de garder un silence stratégique. On évita de demander à maman ce que le type faisait là, sur le quai avec elle, et ce qu'elle avait voulu dire par « C'est un ami », au cas où elle confirmerait nos pires craintes.

Le soir, maman nous a bordés comme d'habitude et a chanté *Jimbo l'éléphant*. Mais le sort du pauvre Jimbo avait perdu de son tragique devant la perspective de revoir le type. De toute façon, je sentais confusément que, bientôt, l'on devrait renoncer à ce rituel, qui irait rejoindre le père Noël, Monsieur Toki et la fée des dents au comptoir de l'enfance perdue.

— Peut-être qu'on ne le reverra plus jamais, peut-être qu'il s'est retrouvé à la gare par hasard, dis-je, une fois la lumière éteinte.

Ma jumelle répliqua, la voix sombre :

— Tu te fais des illusions. Maman le connaît depuis un bout de temps.

J'ai réfléchi à ce qu'elle venait de dire. Je me suis souvenu que, pendant la dernière visite de papa, un certain Jacques avait appelé. On a dit en même temps :

— Quand papa est venu nous voir…

On n'a pas eu besoin de terminer la phrase, chacune avait deviné la pensée de l'autre. Ce jour-là, papa avait pris le message, visiblement irrité.

— Tu penses que c'est le même Jacques ? murmurai-je, sachant à l'avance ce que ma jumelle allait répondre.

— Quoi, tu penses qu'il y en a deux ? répliqua-t-elle, sarcastique.

Je continuai à réfléchir.

— Elle a dit à papa que c'était un collègue de travail. Mais c'est pas vrai, vu qu'elle travaille seule à la maison.

— Logique, dit-elle, plus conciliante.

Léger silence.

— Pourquoi elle aurait menti à papa ? poursuivis-je.

— Parce que papa est jaloux, c't'affaire !

On a gardé un autre silence anxieux. Puis j'osai émettre une autre hypothèse.

— Maman nous a présenté le type comme son ami. Un ami, c'est pas un amoureux.

— Elle a dit ça pour nous épargner. De toute façon, qu'est-ce qu'il faisait à la gare avec elle ?

— Il est venu la reconduire. Un ami, c'est censé rendre service, dis-je sans conviction.

Fanfan, qui essayait de dormir dans son lit à l'autre bout de la chambre, nous ordonna de nous taire, sinon il irait se plaindre à maman.

— Porte-panier, dit ma jumelle, sans pitié.

Monsieur Midi et Le Che

À notre grand soulagement, maman ne nous reparla pas du type. Pendant quelque temps, la vie continua comme s'il n'avait jamais existé. On allait à l'école à pied, on revenait pour le lunch, on repartait tandis que maman se remettait à sa machine à écrire, dont on entendait le son métallique jusque dans le couloir. Puis, un midi, en ouvrant la porte d'entrée, on tomba sur un chien qui nous accueillit en jappant comme un perdu. Fanfan recula, effrayé. Ma jumelle et moi avions peur, mais on jouait les braves. C'était un chien de berger, comme celui des voisins, qui nous jappait après quand on était petites. Ma jumelle avança bravement la main.

— Pitou… pitou…

Le chien l'a regardée, surpris par ce geste de franche amitié. Sa queue s'est mise à frétiller, puis il lui a léché la main. Rassuré, Fanfan s'est avancé à son tour et lui a caressé la tête.

Il y avait un hic : je ne comprenais pas ce que ce chien faisait chez nous. On est allés vers la cuisine, précédés par le chien apprivoisé. En entrant dans la cuisine, l'explication de sa présence nous regarda avec son regard bleu indéchiffrable. C'était le type à la dent en or.

— Vous vous rappelez Jacques, dit maman, les joues roses et un sourire vaguement coupable aux lèvres.

On acquiesça sans dire un mot, la mort dans l'âme. Le chien se dirigea vers son maître, s'assit à ses pieds, lui lécha les mains.

— Comment il s'appelle ? demanda Fanfan, se ralliant à l'ennemi sans livrer combat, obnubilé par le chien.

— Le Che, répond le type.

On n'avait jamais entendu parler d'un nom de chien aussi étrange. Il expliqua :

— C'est le nom d'un grand révolutionnaire. Je trouvais ça plus original que Médor.

Sur ce point, difficile de le contredire. Mais ma jumelle refusa de lui donner raison, même sur un nom de chien.

— Moi j'aime bien Médor, dit-elle, l'air frondeur mais un petit tremblement dans la voix.

— Les goûts, ça ne se discute pas, concéda-t-il avec sa voix de velours.

Je l'haïs, me dis-je, je l'haïs, je l'haïs, je l'haïs… Mais déjà, la répétition enlevait à ces mots leur aspérité première. Soudain, maman se mit à éternuer. J'espérai de toutes mes forces qu'elle soit aussi allergique aux chiens qu'elle l'était aux chats. Il fallait que je sois dans une grande misère morale pour souhaiter que maman soit malade.

L'espoir fut de courte durée. Elle n'était malheureusement pas allergique aux poils de chien ; en tout cas, elle n'éternua plus jamais et n'eut aucune crise d'asthme en présence du Che, dont elle continua à fréquenter le maître. On l'a surnommé Monsieur Midi, parce qu'il venait un midi sur deux luncher avec maman. Chaque fois, il emmenait Le Che avec lui.

— Pourquoi il vient juste le midi et jamais le soir ? demanda Fanfan.

— Parce qu'il est libre le midi et pas le soir.

— Pourquoi il est pas libre le soir ?

Maman qui, d'habitude, n'est pas ennuyée par ses questions, devint mal à l'aise.

— Il est vendeur, il travaille très fort.

— Même le soir ?

— Même le soir.

Ce qui, je le comprendrai plus tard, était la stricte vérité, mais omettait des informations plus compromettantes.

— Pourquoi il emmène son chien quand il vient chez nous ?

— Il ne veut pas le laisser tout seul.

— Mais tu dis qu'il travaille très fort, alors le chien, il doit rester tout seul, des fois. Il doit s'ennuyer.

Maman a pris le parti de rire, mais elle était embêtée.

— Arrête, avec tes questions, Fanfan ! Un vrai petit policier…

*

Il y a quelques jours, Le Che a causé toute une commotion, parce que Monsieur Vendôme l'avait vu sortir de chez nous. Monsieur Midi m'avait demandé de lui faire faire une promenade, avec la laisse et tout. J'avais beau ne pas porter Monsieur Midi dans mon cœur, j'étais ravie de cette responsabilité. Évidemment, Fanfan et ma jumelle n'ont pas voulu être en reste et m'ont accompagnée. Monsieur Vendôme nous a fait une scène, prétendant que les animaux étaient strictement défendus par les règlements de l'immeuble, qu'ils étaient sales et porteurs de toutes sortes de maladies très graves comme la peste bubonique, le choléra et la gale, et que si ça se reproduisait, il allait nous dénoncer au propriétaire et appeler la SPCA. On aurait eu une occasion rêvée de se venger de la voisine en signalant à Monsieur Vendôme l'existence de son chat, mais la vengeance, ce n'était pas notre tasse de thé, comme on dit à Ottawa, et on aimait trop les chats pour vouloir leur perte. Ma jumelle a rétorqué à Monsieur Vendôme que le chien ne nous appartenait pas et que, de toute façon, c'était pas ses oignons.

— Petite mal élevée !

Tout ça pour te dire que Le Che a fait notre conquête bien avant son maître. On allait lui chercher à manger à l'épicerie du coin, on lui donnait de l'eau, on le flattait. Un jour, mon amie Isabelle m'a vue avec le chien. Elle lui a caressé la tête.

— Il est beau ! Comment il s'appelle ?

— Le Che.

— Le quoi ?

— C'est le nom d'un grand révolutionnaire. C'est plus original que Médor.

Isabelle caressa à nouveau le chien.

— Chanceuse ! Papa déteste les animaux. Il dit qu'ils sont sales et transportent plein de microbes, comme la peste « butonique ». Il veut pas m'en acheter, même pas un hamster.

Voyant qu'elle avait de la peine, je tins à remettre les pendules à l'heure :

— Il est pas à moi.

— Il est à qui, d'abord ?

J'hésitai avant de lui répondre. On avait beau s'être réconciliées, je n'avais pas oublié l'incident de l'école. *Chat échaudé craint l'eau chaude,* aurait dit Madame Dozois.

— À... À un ami de la famille.

Isabelle me regarda d'un drôle d'air, ses petites bajoues d'écureuil remuèrent, comme chaque fois qu'elle préparait un mauvais coup. Le lendemain, à la récréation, Isabelle m'aborda avec un air entendu :

— Le Che, c'est un communiste.

— C'est quoi, un communiste ?

— Un *mècriant.*

— Un quoi ?

Elle me toisa avec impatience.

— Un *mècriant,* quelqu'un qui n'est pas comme nous. Il paraît que les communistes brûlent les églises et mangent des bébés.

— Ça se peut pas.

Isabelle fut vexée par mon scepticisme.

— Papa dit qu'il y en a beaucoup au Québec, surtout des juifs, et qu'il faudrait les pendre *eau* et *cours*. Je sais pas si l'ami de votre famille est un communiste lui aussi, mais vous devriez faire attention, ils sont dangereux.

Madame Dozois nous parlait également du danger que représentaient les communistes, qui ne croyaient ni au bon Dieu ni au diable, et n'hésiteraient pas une seconde à envoyer une bombe atomique pour anéantir les chrétiens. Pour lui donner raison, environ trois fois l'an, le bruit d'une sirène se faisait entendre. Il fallait sortir dans la cour de récréation, les religieuses affolées nous comptaient comme des moutons, et nous allions nous mettre en rang, la peur au ventre, au son lancinant de la sirène qui semblait avoir envahi la terre entière. Je me demandais alors avec appréhension, en tâchant de me tenir droite dans mon rang, à quoi servait de nous exposer ainsi dans la cour de récréation, au su et au vu de tous, si les communistes s'apprêtaient à nous attaquer avec une bombe atomique. Nous aurions été plus en sécurité dans la salle de gym, au sous-sol. Mais peut-être que ces alertes n'étaient que de simples exercices de feu que l'école avait transformés en outil pédagogique pour nous détourner à jamais du mal communiste.

Troublée malgré moi par les paroles d'Isabelle, j'en glissai un mot à Monsieur Midi, que je croisai devant la maison avec Le Che en laisse.

— C'est vrai que Le Che est un communiste ?

— Oui, répondit Monsieur Midi, amusé par mon intérêt pour l'histoire. Il a aidé Fidel Castro à faire la révolution à Cuba.

— Quelqu'un que je connais m'a dit que les communistes étaient des *mècriants*…

Monsieur Midi leva ses yeux bleu acier sur moi, abasourdi :

— Des quoi ?

Je répétai à mi-voix, sentant que je venais de dire une bêtise :

— Des *mècriants* ?

Il éclata de rire.

— Tu veux dire des *mécréants*… La personne qui t'a raconté ça est une ignorante.

Je fus vraiment vexée par son rire narquois et par le jugement sévère qu'il portait sur ma meilleure amie. J'ajoutai avec un peu trop de véhémence :

— Il paraît qu'ils brûlent des églises...

Je n'ai pas osé dire « et mangent des bébés », je trouvais ça vraiment trop niaiseux. J'ajoutai plutôt :

— Et ils… massacrent des innocents.

Il me regarda avec une soudaine gravité :

— Les communistes croient que tous les hommes devraient être égaux. C'est aussi le message du Christ.

Voilà qui méritait réflexion. Monsieur Midi m'a souri, j'ai vu son plombage en or reluire, je me suis dit « je l'haïs, je l'haïs », mais sans y croire complètement, comme quand on pleure, enfant, après avoir épuisé sa peine, mais qu'on continue à sangloter pour la forme.

Quand on n'a que l'amour

Du jour au lendemain, Monsieur Midi cessa ses visites. Maman n'en parla pas, mais elle avait l'air triste, même quand elle souriait, et picorait dans son assiette, comme si manger était devenu une tâche au-dessus de ses forces. Un samedi matin, on se leva et on alla la rejoindre dans son lit. Elle avait les yeux rouges, une débarbouillette sur le front, une bouteille d'aspirines sur la table de chevet, des Kleenex roulés en boules répandus autour d'elle. La migraine était revenue. Fanfan lui prit la main, inquiet.

— C'est papa ?

Maman parlait tout bas, pour ne pas empirer la douleur.

— Non.

— C'est qui ?

— C'est des problèmes d'adulte.

— Mais si ça te fait pleurer, c'est notre problème à nous aussi, poursuivit Fanfan avec sa candeur logique.

Elle ne put s'empêcher de sourire, touchée, mais elle fit une petite grimace ; même sourire lui faisait mal. Ma jumelle s'empara de la débarbouillette.

— Je vais aller la refroidir.

Elle sortit comme une flèche. Maman ferma les yeux, ne dit plus rien. Fanfan et moi, on n'osa plus lui poser de questions, pour ne pas empirer son mal de tête. Ma jumelle revint avec la débarbouillette, la posa doucement sur le front de maman.

— Merci ma chouette, murmura-t-elle d'une voix presque inaudible.

On s'est relayés à son chevet. À la fin de la journée, je lui ai demandé un peu d'argent pour faire l'épicerie : du spaghetti Chef Boyardee en boîte, des viandes froides, de la salade de pommes de terre, du pain. Puis, un peu avant le souper, le téléphone a sonné. J'ai répondu :

— Allô ?

— Ta mère est là ?

C'était la voix doucereuse de Jacques.

— Elle a une migraine.

Maman se souleva sur son coude, sa débarbouillette tomba par terre.

— C'est Jacques ?

J'acquiesçai à contrecœur. Elle se leva, se précipita vers le téléphone et s'empara du combiné. Elle avait les joues roses, les yeux brillants.

— Jacques…

Elle se tourna vers moi, me sourit gentiment, mais je compris qu'elle préférait rester seule. Je refermai doucement la porte, j'entendis sa voix feutrée, son rire. Je rejoignis ma jumelle dans la cuisine. Elle était en train de faire chauffer le spaghetti dans une casserole et avait déjà disposé la viande froide sur une assiette.

— Maman va mieux, dis-je, le caquet bas.

Ma jumelle se tourna vers moi, la mine aussi sombre que la mienne.

— On dirait que ça te fait pas plaisir ! s'écria-t-elle, un brin d'agressivité dans le ton.

Cet effet miroir se produisait souvent entre nous : ma jumelle lisait sa propre humeur sur mon visage (ou vice-versa), et s'en servait comme d'un paratonnerre pour exprimer ses sentiments sans en trahir la cause. Maman est entrée dans la cuisine avant que j'aie eu le temps de répondre. Elle était en train de nouer sa robe de chambre, sa migraine semblait avoir disparu, comme par enchantement.

— Jacques va venir faire un tour après le souper. Je vais m'habiller.

Puis elle a aperçu les viandes froides sur la table.

— Pauvres enfants, vous parlez d'un souper ! Si votre père voyait ça, il me traiterait de marâtre… Demain, je vous emmène au Bouvillon.

Le restaurant des jours fastes... Il fallait qu'elle soit heureuse! Elle est allée vers la salle de bains en chantonnant « Quand on n'a que l'amour » et a refermé la porte. Ça ne prenait pas la tête à Papineau pour comprendre la cause de sa migraine, et son remède. Je me suis dit, dans mon « fort » intérieur, qu'avant on avait la paix. « Avant » voulant dire évidemment avant l'arrivée inopinée de Monsieur Midi dans notre vie, alors que nous filions le parfait bonheur avec notre mère, comme dans les contes.

Monsieur Midi recommença ses visites, mais avec des hiatus qui, lorsqu'ils se prolongeaient, provoquaient inévitablement une autre migraine chez maman. Elle plongeait alors dans le travail pour noyer son chagrin, et par nécessité, j'en ai bien peur, car papa avait beau payer la pension rubis sur l'ongle, ce qui est tout à son honneur, elle ne suffisait pas pour joindre les deux bouts.

L'homme aux lunettes noires

Au retour de l'école, j'avais pris l'habitude de faire une promenade toute seule à la montagne, beau temps mauvais temps. Je ne parlais de ces promenades à personne, pas même à ma jumelle. Ces promenades n'appartenaient qu'à moi, comme un coffret fermé à clé, où l'on cache des objets qui n'ont de valeur que pour soi.

Tu te rappelles, à cette époque, le mont Royal n'avait pas encore été dévoré par les bâtiments de l'Université de Montréal. Il y avait de jolis sentiers, des falaises qui se profilaient à travers les branches des sapins. On entendait parfois l'eau ruisseler sur les parois, au début du printemps, et des écureuils gris, si différents de ceux d'Ottawa, qui sont noirs, sautaient de branche en branche et poussaient de petits cris stridents, le dos rond et le poil dressé, quand ils avaient peur. Parfois, j'escaladais une paroi. Il m'arrivait de glisser sur le lichen humide et de dégringoler en bas. Quand je revenais à la maison avec des écorchures, je disais à maman que j'étais tombée sur le trottoir, pour ne pas l'inquiéter.

Au cours d'une de ces promenades, j'observais une colonne de fourmis qui entraient et sortaient d'une fourmilière. J'avais lu dans une encyclopédie (un « invendu » que papa nous avait rapporté de la librairie) que les fourmis sont capables de transporter plus du double de leur poids. Soudain, j'ai entendu un bruit de pas déplaçant des cailloux. J'ai levé la tête et j'ai aperçu une silhouette noire se détachant sur le sentier ocre et les sapins. Pendant une fraction de seconde, j'ai cru que c'était toi. L'homme était mince, habillé de noir, avec des cheveux sombres bouclés, comme les tiens. Il portait des lunettes de soleil.

— Qu'est-ce que tu regardes ? dit l'homme aux lunettes noires.

— Des fourmis. Savez-vous qu'elles peuvent transporter plus du double de leur poids ?

Il a souri, l'air indulgent, mais de toute évidence, les mœurs des fourmis étaient le cadet de ses soucis.

— Tu viens souvent ici ?

Maman nous avait souvent répété de ne pas parler aux étrangers, mais celui-là avait l'air gentil. J'aurais trouvé impoli de ne pas lui répondre.

— Des fois. Je fais de l'escalade.

— T'as pas peur, de te promener toute seule ?

— Non.

Mais maintenant qu'il me le demandait, je me suis dit que peut-être je devrais.

— Tu m'as l'air gentille et débrouillarde. J'aurais un petit service à te demander.

Tu te dis sûrement, petite dinde, qu'est-ce que t'attends pour prendre tes jambes à ton cou ? L'ennui, c'est que je n'avais pas peur. Il parlait d'une voix douce, et sa ressemblance avec toi me rassurait. Il s'est approché de moi, s'est arrêté à quelques pieds.

— J'ai échappé une revue là-bas.

Il a levé le bras et pointé dans la direction d'un rocher en contrebas, une sorte de caverne.

— Pourrais-tu aller la chercher pour moi ?

J'hésitai. Il poursuivit avec un sourire penaud :

— Moi j'irais bien, mais je suis pas un as de l'escalade comme toi.

« T'es pas allée dans la caverne ! » s'écria ma jumelle, horrifiée.

— Il était pas capable d'escalader, répliquai-je, sur la défensive.

— T'es tombée sur la tête !

— Chut… Pas si fort, maman va t'entendre.

— Tant mieux ! C'est un maniaque ! Il aurait pu te tuer !

— Pas du tout ! Il avait échappé sa revue.

Moi qui m'étais jurée de me fermer la trappe au sujet de l'homme aux lunettes noires, je n'ai pu m'empêcher de tout raconter à ma jumelle, par une sorte d'atavisme gémellaire. Enfin, presque tout. Ce que je n'ai pas osé lui dire (j'avais trop honte), c'est que lorsque j'ai réussi à descendre la paroi et à parvenir jusqu'à la petite caverne, j'ai bel et bien trouvé la revue. Elle contenait des photos de femmes nues, avec une sorte de mousse de bain qui leur couvrait les seins et les fesses. J'ai rougi jusqu'à la racine des cheveux, puis, la seconde d'après, j'étais très fâchée et, crois-le ou non, au lieu de profiter du fait que l'homme aux lunettes noires était assez loin et ne pourrait me rattraper si je décidais de courir, j'ai décidé d'aller lui porter sa revue. Je l'ai regardé dans le blanc des yeux (enfin, dans le noir de ses lunettes), je lui ai dit qu'il devrait avoir honte de faire perdre du temps aux gens. Il n'a eu que le temps de me dire :

— Merci pour la revue !

Je suis partie comme une flèche. J'ai entendu sa voix au loin :

— Dis rien à tes parents ! C'est notre secret…

Tu parles…

J'ai eu beau faire jurer cracher à ma jumelle qu'elle ne dirait pas un mot de toute cette histoire à maman, elle ne voulut rien savoir :

— Je suis pas un porte-panier, mais je vais le dire pour ton bien.

Pour une rare fois, maman a fait une colère.

— Je t'ai dit mille fois de pas parler à des étrangers !

— Il était pas dangereux.

— C'était stupide de ta part !

T'as remarqué, elle ne m'a pas traitée de stupide, elle a dit que *c'était* stupide, sans doute pour ne pas entamer mon estime de moi-même, laquelle, à ce moment précis, était au plus bas.

— Fais plus jamais une folie pareille ! Je t'interdis d'aller te promener sur la montagne toute seule ! Va dans ta chambre !

Tous ces mots furent prononcés en une seule tirade. Après, elle a eu une crise d'asthme, ce qui m'a enlevé net l'envie de protester contre ce que je considérais comme un châtiment injuste. Je suis allée m'enfermer dans ma chambre. J'ai pleuré un bon coup. J'en voulais à mort à ma jumelle d'avoir trahi mon secret. Je trouvais la vie injuste et, en même temps, j'entendais maman tousser et je me sentais terriblement coupable. En cherchant un livre pour tromper ma peine, j'ai entrevu mon reflet dans la glace qui surplombait la bibliothèque. J'ai vu une petite fille aux tresses blondes et aux yeux verts qui me regardait, je l'ai regardée à mon tour. Une sensation de vide m'a envahie, une torpeur mêlée à un léger vertige, comme un astronaute en état d'apesanteur. Je ne savais plus qui j'étais, mon identité s'est dissoute. J'étais une amibe qui a temporairement pris forme humaine et flotte à la surface des choses inanimées. Ma tête commençait à tourner et je me suis arrachée à mon reflet avant de tomber dans les pommes. J'ai eu la certitude, pendant quelques secondes, que j'étais sortie de l'enfance, cette forêt enchantée dont je ne voulais pas trouver l'issue, et que c'était irrémédiable. Maman est entrée dans la chambre juste à ce moment-là. Elle m'a observée, inquiète.

— Qu'est-ce que t'as, ma chouette ?

C'était trop compliqué de lui répondre que j'avais un vertige existentiel et que je pleurais le deuil de mon enfance. Je lui ai fait la seule réponse possible, quand son monde bascule et qu'on ne sait plus qui on est :

— Rien.

Elle s'est assise à côté de moi. Elle ne toussait plus, mais ses yeux étaient pleins d'eau, à cause de l'asthme – ou à cause de moi, mais je ne voulais pas envisager cette dernière hypothèse.

— Je voulais pas te disputer, mais j'ai eu très peur.

Les adultes, quand ils ont peur, se mettent parfois en colère contre l'enfant qui l'a causée.

— C'est parce que je tiens tellement à toi. S'il t'arrivait quelque chose, je ne sais pas ce que je ferais.

Je regardais le beau visage de maman, la douceur de son regard, et je savais que c'était un parapet contre tous les vertiges. Du moins, je le croyais à ce moment-là.

Le soir, avant de se coucher, ma jumelle marcha sur son orgueil et, sans aller jusqu'à s'excuser (ce qu'elle a toujours considéré comme une brèche inacceptable à sa dignité), elle tenta un rapprochement.

— T'es encore fâchée contre moi ? dit-elle en arborant un air faussement indifférent.

Je boudai ma jumelle pour sauver la face, même si la tentation était très forte de lui parler et de l'embrasser. Elle passa rapidement au plan B.

— Je t'ai sauvé la vie. Je te connais, si j'avais pas dit la vérité à maman, tu serais retournée voir le type aux lunettes noires, et il t'aurait tuée.

— Pour qui tu me prends ? Je suis pas stupide à ce point-là !

— T'es pas stupide, t'es naïve.

— Pas plus que toi !

— Moi, j'aurais pas parlé à un étranger qui porte des lunettes noires et se promène tout seul sur la montagne !

Elle avait raison, mais je ne voulais pas qu'elle s'en rende compte. J'ai coupé court à la discussion :

— De toute façon, ça te regarde pas.

Comme réconciliation, on a vu mieux. Pour une fois, Fanfan dormait à poings fermés, il ne nous a pas reproché nos conciliabules. Au beau milieu de la nuit, on a été réveillés par des cris, des grincements de chaise. Encore les Vendôme qui se disputaient.

— Est-ce que tu dors ? dis-je à mi-voix.

— Oui, répond ma jumelle.

— Je suis plus fâchée contre toi.

— Moi non plus.

Tu la connais, il faut toujours qu'elle ait le dernier mot.

Madame Vendôme

Le lendemain matin, on frappa discrètement à la porte, tellement qu'on a bien failli ne pas entendre. J'allai répondre. Madame Vendôme était debout sur le seuil, les yeux rouges. Elle jeta un coup d'œil nerveux derrière son épaule, au cas où son bonhomme sept-heures de mari apparaîtrait.

— Est-ce que ta mère est là ?

Elle entra sans m'avoir laissé le temps de répondre. Maman, qui avait entendu du bruit, est sortie de son bureau, une tasse de café à la main. Madame Vendôme est restée debout, le dos légèrement courbé, les cheveux épinglés à la hâte sur sa petite tête, dégageant son cou maigre.

— Je voudrais m'excuser pour hier soir. Mon mari… se cherche du travail. C'est difficile pour un homme de son âge. Il était riche, vous savez. Il a tout perdu dans les mines. Alors des fois, il… il perd un peu la tête.

— C'est pas une raison pour vous traiter comme il le fait.

— Moi, ça compte pas. C'est pour les enfants, que je m'inquiète. On leur donne pas le bon exemple.

Elle a avalé péniblement, tellement sa gorge était contractée.

— Vous aussi, vous avez eu des… problèmes. Je vous trouve bien courageuse d'être partie.

— C'est pas du courage. Si j'étais restée avec mon mari, je serais devenue folle.

Madame Vendôme lui jeta un regard effarouché.

— Moi, j'oserais jamais.

— Pourquoi pas ?

Madame Vendôme fut complètement prise de court par la réplique de maman.

— Je suis catholique. C'est interdit par ma religion.

— Moi aussi, je suis catholique. En tout cas, j'ai été baptisée. Une religion qui oblige deux êtres humains à vivre l'enfer sur terre et le paradis au ciel, c'est pas une bonne religion.

Madame Vendôme a plaqué une main sur sa bouche, comme pour étouffer une exclamation. Puis elle a touché le bras de maman du bout des doigts, comme pour la remercier.

— Dites pas à mon mari qu'on s'est parlé.

Elle s'en retourna de son pas furtif, frôlant les murs.

On sonna à nouveau à la porte. Maman, croyant que c'était encore Madame Vendôme, alla répondre. Un monsieur en uniforme chantonnait « Donnez-moi des roses » et portait sous son bras des robes de toutes les couleurs, scintillantes et chamarrées, enveloppées de cellophane transparent.

— Madame Dumas ?

— C'est la voisine en face.

Il a sonné chez la voisine. Pas de réponse. Le livreur était embêté.

— Je comprends pas ça, la petite madame était pressée, elle avait besoin de ses robes pour hier.

Tant « pire ». Va falloir qu'elle aille les chercher elle-même…

Le monsieur en uniforme était sur le point de repartir. Maman l'interpella.

— C'est combien ?

— Vingt piasses.

Elle hésita : ce n'était pas donné. Puis elle décida de faire une bonne action. Après tout, il y avait des mois qu'on n'avait pas eu d'ennuis avec la voisine, et elle mettait la paix en tête de tous ses principes. Elle alla donc chercher un billet de vingt dollars dans son sac à main et le donna au monsieur en uniforme. Il lui remit la facture et les robes et repartit en chantonnant « Plaisirs d'amour ne duuurrent qu'un-un momeeeent » en roulant ses *r*.

Le soir venu, après le souper, maman, munie de toutes les robes de soirée, sonna chez la voisine. Cette dernière était dans un de ses mauvais jours. Elle avait une cigarette au bec, sa robe de chambre tachée et les deux yeux dans le même trou.

— Mmmm ? fit-elle sans même faire l'effort d'articuler.

— Vos robes de soirée, le nettoyeur les a apportées aujourd'hui, vous étiez pas là, j'ai pensé que vous en auriez besoin.

La voisine retrouva son sourire.

— Vous êtes tellement fine ! Je sais pas ce que je ferais sans vous.

La voisine s'empressa de prendre les robes et s'apprêtait à refermer la porte, mais maman plaça fermement son pied dans l'embrasure :

— Vous me devez vingt dollars.

— Vous êtes folle ! C'est bien trop cher !

Maman a tendu la facture à la voisine. Cette dernière l'a prise et l'a déchirée sans même y jeter un coup d'œil.

— Vous auriez pas dû payer ! Comme si j'avais les moyens...

La voisine tenta à nouveau de fermer la porte. Maman l'en empêcha en s'avançant d'un bloc :

— Moi non plus, j'ai pas les moyens. Je vous ai rendu service, je veux mon vingt dollars. Je vais attendre toute la soirée s'il le faut.

La voisine a accusé le coup, surprise de trouver tout à coup tant de fermeté chez cette femme d'ordinaire si conciliante.

— Les nerfs, maugréa-t-elle, convaincue qu'elle était victime de persécution.

Elle a disparu un moment, laissant la porte entrouverte, puis est revenue, un billet de vingt dollars froissé à la main. Elle l'a donné à maman sans rien dire et claqua la porte. Maman ne s'en est pas formalisée. Elle a souri en enfouissant le vingt dollars dans sa poche, fière, à juste titre, de ne pas s'être laissée avoir comme les autres fois.

Le même soir, on reçut la visite de Monsieur Vendôme. Il portait un complet sombre, une chemise élimée aux poignets, ses cheveux rares et gras étaient tellement plaqués sur son crâne qu'on aurait dit qu'il s'était servi de colle.

— Madame, dit-il, le ton solennel, l'air d'un politicien qui s'apprête à prononcer un discours devant la nation, j'ai eu vent par mon épouse que vous tentiez de semer la discorde dans notre ménage.

Maman ne se laissa pas émouvoir.

— Vous m'en direz tant.

C'est curieux, mais quand il est très fâché, Monsieur Vendôme se soulève sur la pointe des pieds, comme s'il tentait de se grandir.

— Ce n'est pas parce que vous avez choisi un mode de vie dépravé que vous avez le droit d'entraîner une honnête ménagère dans le « tupre et la lucre ».

— Dans le stupre et le lucre, corrigea maman, impertinente.

Monsieur Vendôme se souleva encore d'un cran sur les pointes, l'air d'une grosse ballerine.

— Je n'ai pas de leçons de français à recevoir de vous ! J'ai fréquenté le collège Sainte-Marie, moi, madame. Depuis que le droit de vote a été octroyé aux femmes, c'est la pagaille ! Les femmes annulent le vote de leur mari !

— Et vice-versa.

— Je vous interdis de fréquenter ma femme et de lui mettre vos idées de féministe enragée dans la tête, vous m'entendez ?

— Monsieur Vendôme, c'est votre femme qui est venue me voir.

Il resta interdit un moment, puis sortit en marchant si vite qu'il trébucha sur la carpette, dans l'entrée.

Maman secoua la tête, découragée.

— Pauvre femme. Elle est pas sortie de l'auberge…

Maman non plus. Le lendemain midi, quand on est revenus manger à la maison, elle avait les yeux gonflés. Elle prétendit qu'elle avait mal à la tête à force de traduire et de taper à la machine, mais moi j'aurais mis ma main au feu que c'était à cause de Monsieur Midi, que je suis à la veille de surnommer Monsieur Courant d'Air. Ça faisait un bout de temps qu'on les avait vus dans les parages, lui et Le Che. « Plaisirs d'amour ne duuurrent qu'un-un momeeeent », chantonnait l'homme en uniforme…

Les sept corbeaux

Papa est venu nous rendre visite en coup de vent, profitant d'un voyage d'affaires. Il scruta maman avec son œil de lynx :

— Toi, t'as maigri. Au moins cinq livres.

Il ajouta à la blague, mais avec une nuance d'ironie :

— T'as une peine d'amour ?

Maman avait beau être séparée de papa, elle ne lui parlait jamais, au grand jamais, de sa vie sentimentale.

— Je suis au régime.

Malgré ses grands airs et sa faconde un peu factice, papa ne cherchait pas la chicane, pour une fois. Il se sentait bien seul et il était heureux de nous voir. Mimi m'a appris plus tard que le mari de Madame K était très malade, mais jamais au point de rendre l'âme, et que Madame K refusait de le quitter par sens du devoir. Papa supportait de moins en moins le célibat, et il avait décidé de rompre avec elle. Pauvre Madame K, je ne pus m'empêcher de la plaindre, avec ses sourires tristes, sa coiffure en forme de gâteau forêt-noire, sa passion pour « John John » et son mari malade.

Crois-le ou non, Monsieur Midi et Le Che sont revenus dans le portrait. Maman a retrouvé son sourire, elle voulait même changer les meubles de place, ce dont on ne voyait pas du tout l'utilité, vu qu'elle l'avait déjà fait à quelques reprises et que les combinaisons nouvelles dans notre logement tout en couloirs étaient limitées.

Dans un sens, j'étais soulagée du retour de Monsieur Midi, parce que maman était heureuse et que notre bonheur dépendait du sien.

Monsieur Midi ne venait plus seulement le midi, mais parfois le soir, et il lui arrivait même de rester pour le souper. Il n'emmenait plus toujours Le Che avec lui, comme s'il n'avait plus vraiment besoin de prétexte pour voir maman, ce qui n'était pas sans nous décevoir, Fanfan, ma jumelle et moi, étant donné notre affection pour la bête. Monsieur Midi avait cependant compris que, pour garder le cœur de maman, il devait compter avec nous. Il faisait un effort louable pour nous parler à table, allant même jusqu'à s'intéresser à nos bulletins scolaires. Pour être juste, je dois admettre que Monsieur Midi maniait bien le verbe. Ses phrases étaient parsemées de mots compliqués comme *portion congrue, capital, dialectique, révisionnisme historique*. J'apprenais même des mots d'anglais différents de ceux qui nous étaient enseignés à l'école : *upper middle class, lower class, lower middle class,* etc. Ça nous changeait de *handkerchief* ou *my best friend is a dog*.

Monsieur Midi ne faisait rien comme les autres. Au lieu d'apporter du vin ou des fleurs à maman, ce qu'il trouvait trop bourgeois, il lui donnait une poivrière électrique, des verres à vin et à eau, un ouvre-bouteille et autres objets du même acabit. Le hic, c'est qu'ils se brisaient dans le temps de le dire, et de façon irrémédiable. Maman, n'osant pas les jeter, les rangeait dans une boîte qu'on a baptisée *Les bébelles-à-Jacques*. Ce n'était là qu'un de ses nombreux *paradoxes* – pour employer l'une de ses expressions favorites. Il nous parlait souvent de lutte des classes. Au début, je croyais que c'étaient des combats entre des élèves de classes différentes, mais il m'a expliqué qu'il s'agissait d'une lutte entre la classe ouvrière et la bourgeoisie capitaliste. Ce qui ne l'empêchait pas de travailler pour une compagnie capitaliste qui vendait des bébelles fabriquées à Taïwan à des coûts dérisoires.

Un soir, maman nous annonça :

— Les enfants, il est temps de faire le point.

Tu la connais, quand elle commence une phrase en disant « Il est temps de faire le point », c'est que l'heure est grave.

— Vous savez que vous êtes les personnes que j'aime le plus au monde.

Silence prudent, doublé d'une sourde appréhension.

— Mais ça ne veut pas dire qu'il n'y a pas d'autres attachements possibles.

Le silence se prolongeait, mais l'appréhension n'était plus sourde, elle était criante, comme le croassement des sept frères que la méchante fée vient de transformer en corbeaux.

— Jacques et moi... On est très attachés l'un à l'autre.

Les corbeaux se regardent, s'aperçoivent avec désespoir de leur transformation, et s'enfuient en croassant misérablement.

— Mais la situation n'est pas simple. Il est marié.

Les sept corbeaux découvrent cependant que, la nuit, ils reprennent forme humaine.

— Il veut se séparer, comme votre père et moi. Mais sa femme ne veut pas. C'est pour ça que parfois il ne vient plus me voir, et que j'ai de la peine. Mais bientôt tout va s'arranger. Il va demander le divorce.

Quand le jour reparaît, les sept frères redeviennent des corbeaux.

— Est-ce que tu l'aimes ? demanda Fanfan, ses grands yeux noirs plongés dans ceux de maman.

— Oui, répondit-elle avec un sourire timide.

— Est-ce que tu l'aimes plus que nous ? demanda ma jumelle, avec l'air de défi qu'elle a toujours quand elle fait un effort pour ne pas pleurer.

Maman a ri, nous a pris dans ses bras. On formait un petit cercle tricoté serré autour de la table de la cuisine. Ça me rappelait une photo de quand on était petits et où maman, assise sur une chaise berçante, nous tenait tous les trois dans ses bras, comme si nous n'avions fait qu'un. Tout serait plus simple si on pouvait rester ainsi, sans bouger, sans intrus, ne faisant qu'un, pour toute la vie.

Le soir, après que maman eut éteint la lumière, j'entendis la voix de ma jumelle.

— Il le fera pas, décréta-t-elle.

— Qui ?

— Monsieur Midi. Il quittera pas sa femme, il va se dégonfler, tu vas voir. C'est un pissou.

C'est vrai que, jusqu'à présent, Monsieur Midi avait démontré un talent certain pour l'étapisme : un pas en avant, deux pas en arrière. Mais pour une fois, ma jumelle se trompait.

Quelques semaines plus tard, en rentrant à la maison, nous avons buté sur trois valises, dans l'entrée. Maman nous a embrassés, excitée et anxieuse. On a compris tout de suite que les valises appartenaient à Monsieur Midi. Fanfan fixa maman et lui dit :

— Où il va dormir ? Y a pas assez de place, ici.

— Dans la chambre de maman, nono ! rétorqua ma jumelle.

Elle sortit du logement en claquant la porte.

C'est ainsi que notre nouvelle vie de famille a commencé.

*

Monsieur Midi avait dû laisser Le Che à sa femme, étant donné que le règlement de l'immeuble interdisait la présence d'animaux. Il n'avait toujours pas divorcé, malgré ses nombreuses promesses, comme s'il voulait garder une poire pour la soif. De temps en temps, il retournait chez sa femme sous prétexte de promener le chien, afin qu'il s'habitue peu à peu à son absence, prétendait-il. Maman n'était pas dupe, et chaque fois qu'il revenait de ses promenades, elle lui lançait, ironique :

— Comment va ta femme ?

Il évitait prudemment toute explication et allait se réfugier dans le bureau de maman pour téléphoner à des clients.

Un soir, à table, Jacques fit une déclaration enflammée à maman : « Je t'aime comme un fou. » Ses yeux bleus étaient embués de larmes. Même moi, ça m'a rendue tout chose, bien que je trouvai un tel épanchement chez un adulte portant des lunettes et une dent en or un tantinet ridicule. Je n'aurais pas osé l'avouer à ma jumelle, mais à toi je peux le dire : je commençais à m'habituer à la présence de Jacques. Pire, je m'attachais de plus en plus à lui. J'essayais même de lui plaire, faisant un effort louable pour ne pas ronger mes ongles en sa présence, ou pour apprendre des mots savants par cœur et les insérer dans la conversation afin de l'épater. Ainsi, j'appris le mot *anticonstitutionnellement*. Après de nombreuses pratiques, je fus capable de le prononcer sans trébucher. Lorsque je répétai le mot devant Jacques, fière de mon exploit, il me regarda, une lueur caustique dans le bleu acier de ses yeux.

— Sais-tu ce que ça veut dire ?

Si tu avais été là, tu m'aurais soufflé la réponse, toi qui sais tellement de choses. Mais voilà, tu n'étais pas là.

De l'importance de voyager léger

Il fallait être crétin ou demeuré pour ne pas sauter la septième année et aller à l'école secondaire ; du moins, c'est ce qu'Isabelle affirmait avec une telle certitude que nous la croyions sur parole. Ma jumelle et moi attendions donc les résultats de nos derniers bulletins avec anxiété.

— Imagine si une de nous deux était obligée de faire sa septième, dis-je, inquiète. On n'irait plus à l'école ensemble.

Ma jumelle haussa les épaules, trouvant cette hypothèse hautement farfelue.

— On a toutes les deux de bonnes notes.

— T'as eu des difficultés en arithmétique, moi en géographie. Dans la vie, on n'est sûr de rien.

— Ça se peut pas, déclara-t-elle, comme si ces mots suffisaient à conjurer le mauvais sort.

La perspective d'être séparée de ma jumelle me semblait possible mais inimaginable. Nous avions toujours été dans les mêmes écoles, les mêmes classes. Je ne pouvais concevoir de m'asseoir à un pupitre sans l'apercevoir du coin de l'œil, avec son air faussement blasé pour que les autres élèves n'aillent surtout pas croire que ma présence était importante pour elle. J'imaginai ce vide soudain, ce pupitre sans elle, et j'éprouvai un sentiment d'apesanteur, comme si une part de moi risquait de disparaître.

Le jour du dévoilement officiel des bulletins de fin d'année arriva. J'écris dévoilement, car les résultats scolaires, selon un procédé assez cruel, étaient lus à haute voix par la sœur directrice, avec le rang des élèves. On commençait toujours par les premières et on finissait par les dernières. Plus la lecture des résultats avançait, plus les dernières de classe croupissaient sous la honte et le regard chargé de fausse compassion ou de vrai triomphe des autres élèves. Ma jumelle arriva au huitième rang. Je ne pus retenir un cri de joie, qui fut accueilli par un regard glacial de la sœur directrice.

— Rrretenez vos chevaux, mademoiselle, dit-elle en roulant ses *r*, le visage dur.

Le onzième nom fut déclamé : Isabelle Vendôme. Elle se tourna vers moi, un sourire inquiet aux lèvres, étonnée que le mien ne soit pas encore sorti du chapeau. Sophie Cotnoir, Geneviève Imbeault, Diane Dugas… À la lecture du dix-huitième nom, j'eus l'impression d'avoir un ballon gonflable dans la poitrine. Comment avais-je pu croire que le cœur était à gauche ? Il était partout, palpitait dans mes poumons, mes tempes… Mes genoux tremblaient. La bouche de la sœur directrice était devenue un entonnoir, les sons en sortaient amplifiés.

Le nom de Josée Boilard fut presque craché par l'entonnoir. Josée Boilard, l'une des cancres sympathiques de la classe, arrivait au vingt-sixième rang, et nous étions vingt-neuf élèves. Josée se mit à rire, un rire nerveux et un brin insolent. La sœur directrice la pria sèchement de sortir. Un silence de mort suivit son départ.

On en était au vingt-huitième nom. Ça y est, l'inconcevable allait arriver. Je serais séparée de ma jumelle et d'Isabelle, en plus d'être avant-dernière ou dernière de classe. « Les premiers seront les derniers », répétait souvent la sœur de sixième année. Pour nous apprendre l'humilité, sans doute. J'avais la certitude qu'au contraire les premières se verraient ouvrir toutes grandes les portes d'un nouveau monde et *mèneraient la parade*, comme on dit à Ottawa, tandis que je resterais misérablement sur la route à les regarder passer, seule pour affronter la sœur directrice et les petites humiliations qui sont le lot d'une écolière. J'ai regardé ma sœur jumelle. Elle me tournait le dos, ses cheveux étaient tressés à la va-vite, l'ourlet de sa jupe décousu à un endroit. Pour la première fois de ma vie, je me suis rendu compte qu'il n'y avait pas que l'école qui pouvait nous séparer. J'eus soudain envie de mourir, juste pour ne pas affronter l'idée qu'elle pourrait mourir avant moi. Puis la voix de la sœur directrice me sortit de ma sombre rêverie.

— Sylvie Beaudry.

Sylvie Beaudry... Donc, je serais dernière. Je n'osais même plus regarder ma jumelle et Isabelle, de peur de voir sur leur visage ma propre détresse. La sœur directrice félicita les élèves méritoires. Je la regardai, stupéfaite. Mon nom, murmurai-je faiblement, comme si j'avais parlé au fond de l'eau. La sœur de sixième année vint à mon secours :

— Il manque une élève, dit-elle.

Et elle me montra du doigt. La sœur directrice me regarda, puis jeta un coup d'œil à sa liste. Elle eut un sourire à la fois suave et contrit :

— Je suis désolée, je vous avais oubliée, mademoiselle. Vous êtes dixième. Bravo.

J'étais si soulagée du résultat que, sur le moment, je n'ai pas compris que la sœur directrice avait peut-être sciemment omis mon nom pour me mettre à la torture. C'est Isabelle qui m'a mise sur la piste quand on revenait à la maison :

— Elle a fait exprès.

Je refusai de croire à une telle duplicité, même de la part de la sœur directrice. Ce n'est que durant la nuit que la rage m'éveilla. J'allai dans la cuisine pour prendre un verre d'eau, ruminant ma vengeance. Il y avait de la lumière dans la chambre de maman, sa porte était entrouverte. J'entrai, elle était en train de lire *Madame Bovary*. Jacques n'était pas là, il était parti en voyage d'affaires. Elle avait les larmes aux yeux et un Kleenex roulé en boule dans sa main, et elle me dit, sans s'inquiéter du fait que je ne dormais pas, que les femmes libres étaient souvent punies dans les romans, pour donner une leçon à celles qui osaient exercer leur liberté.

— Toi, tu ne seras pas punie ! lui dis-je fougueusement, sentant d'instinct qu'elle parlait d'elle-même.

Elle me sourit, puis réalisa tout à coup que j'aurais dû être au lit. Je lui racontai l'incident du bulletin. Elle trouva la sœur directrice bien cruelle, si son action était délibérée, mais c'était lui accorder trop d'importance que de vouloir se venger.

— Dans la vie, il faut apprendre à voyager léger.

J'allai me recoucher et me rendormis, délivrée de ma rage.

*

Le lendemain, en sortant de l'immeuble pour acheter une pinte de lait à l'épicerie du coin, je vis Isabelle, assise toute seule sur une marche de l'escalier. Elle avait les yeux rouges, la bouche légèrement crispée, une petite digue pour arrêter les larmes. Je me suis assise à côté d'elle. Je sentais qu'elle avait besoin de silence. Après un moment, elle a murmuré, sans me regarder :

— Mon père bat ma mère. J'ai peur de lui. Des fois, je suis tellement malheureuse, je voudrais mourir.

On est restées longtemps assises l'une à côté de l'autre, sans rien dire. Les mots étaient inutiles. Elle a simplement mis sa main dans la mienne. On entendait le bruissement des moineaux dans un bosquet.

Les tortues peintes

Au début de l'été, ma jumelle est tombée sur son épaule droite et s'est cassée la clavicule. Maman et moi l'avons accompagnée à l'hôpital. Le médecin lui a replacé l'épaule d'un coup sec. Elle est si courageuse qu'elle a réussi à ne pas pleurer; c'est moi qui ai eu du mal à retenir mes larmes en voyant son visage se crisper sous la douleur. Figure-toi que le médecin a voulu ménager deux petits trous dans le plâtre afin de laisser de l'espace pour ses seins naissants. Elle a refusé net.

— Pourquoi faire des trous? J'ai pas de seins! déclara-t-elle.

N'ayant pas perdu ma manie gémellaire, je me suis cassé la clavicule gauche pendant le cours de gym quelques jours plus tard. Urgence, médecin, épaule replacée d'un coup sec. Je ne voulus pas que ma jumelle soit présente, je craignais que son regard plein de compassion ne m'enlève tout courage.

On avait l'air de tortues, avec nos plâtres qui nous entouraient le torse, à la différence que le mien comportait les fameux petits trous pour mes seins naissants, car je n'avais pas réussi à tenir tête à la femme médecin qui m'avait examinée.

— Faut pas être gênée, avait-elle dit avec un ton enjoué et condescendant. Tu es en train de devenir une femme.

Je n'avais pas prévu être une femme dans un avenir rapproché, enfin pas de façon aussi voyante. Ma jumelle a rigolé quand elle a vu les deux petits trous ronds. Pendant quelques jours, j'ai refusé de la gratter dans le dos, là où ça pique le plus et qu'on ne peut atteindre tout seul.

Une catastrophe n'arrive jamais seule. Un soir, maman nous convoqua, Fanfan, ma jumelle et moi. Nous étions assises plâtre contre plâtre, l'air de deux tortues peintes avec les graffitis qui couvraient nos carapaces.

— J'ai une décision importante à prendre. Je voulais vous consulter avant.

Maman avait un défaut. Chaque fois qu'elle faisait mine de nous consulter, c'est que sa décision était déjà prise.

— Jacques… Il trouve le logement trop petit. Il pense… qu'on devrait se trouver… Enfin, faire d'autres arrangements.

Elle s'interrompit pour observer nos réactions. Comme nous affections de ne pas en avoir, elle poursuivit, sur la pointe des pieds :

— Jacques et moi avons visité un bel immeuble, à quinze minutes d'ici. C'est très moderne, il y a de grandes fenêtres, des salles de bains neuves, un parc derrière.

Maman semblait décrire une sorte de paradis. Sentant qu'elle gagnait du terrain, elle ajouta :

— Il y a même une piscine intérieure.

Ces derniers mots firent notre conquête.

— Une piscine !

Elle était ravie de notre enthousiasme.

— Vous aurez chacun votre chambre.

— Ça doit être grand ! s'exclama Fanfan, impressionné.

Maman ravala.

— Oui et non. Les plus grands appartements sont des quatre et demi, ils ne sont pas assez spacieux pour nous cinq.

On la regarda sans comprendre. Elle poursuivit, la gorge nouée :

— On louerait deux appartements, sur le même étage, côte à côte.

Nos deux plâtres se cognèrent sous l'effet de la surprise.

— Tu veux dire… qu'on vivrait… dans deux appartements séparés ? dit ma jumelle, incrédule.

— Oui, mais il y aurait juste un mur entre les deux appartements. On prendrait le petit déjeuner ensemble tous les matins, on souperait ensemble tous les soirs, comme si on était dans une maison, mais avec deux portes au lieu d'une, s'empressa d'ajouter maman, parlant un peu trop vite.

Pour une fois, je te l'avoue, on était vraiment à court de mots. Maman était malheureuse.

— Si vous voulez pas, on s'arrangera autrement.

— C'est une idée de Jacques ? demanda ma jumelle, cachant mal son hostilité.

— C'est mon idée ! s'exclama-t-elle. Jacques…

Elle prit le temps de trouver les mots justes.

— Jacques est très attaché à vous, mais ses enfants sont grands, il a perdu l'habitude de vivre en famille.

Traduction : Jacques est un égoïste qui ne supporte pas les enfants et maman essaie de trouver un compromis acceptable pour faire entrer Jacques et ses enfants dans une même valise, mais dans des compartiments séparés. Je jouai les conciliatrices pour faire plaisir à maman, mais aussi parce que j'avais peur de la perdre.

— Est-ce qu'on peut visiter l'appartement avant de prendre notre décision ?

Maman me jeta un regard reconnaissant.

— Bien sûr !

Ma jumelle me fusilla du regard.

— Comme si on avait le choix ! Tu sais bien que c'est déjà décidé !

Ma jumelle est un être lucide. Même si elle se mettait la tête dans le sable, elle s'arrangerait pour garder les yeux ouverts. Mais ce qui fut dit fut fait. L'après-midi même, Fanfan, ma jumelle et moi avons visité les deux appartements avec maman. Elle avait raison, il y avait de grandes fenêtres, beaucoup de lumière, des couloirs avec de la moquette flambant neuve qui sentait encore la colle et des luminaires placés devant chaque porte, comme dans un hôtel. Même ma jumelle cacha mal son enthousiasme.

— Alors ? demanda maman avec un sourire incertain.

— C'est pas pire, dit ma jumelle, l'air faussement maussade.

Maman a applaudi. Des fois, j'ai l'impression que c'est elle, la petite fille.

Quelques jours avant le déménagement, ma jumelle et moi, on s'est fait enlever notre plâtre en même temps.

On s'est senties tellement légères que, si l'on avait battu des bras, on se serait envolées. Puis le jour du déménagement arriva. Jacques surveillait les opérations avec une rigueur de militaire. Chacun s'est vu assigner une tâche : ma jumelle écrivait « cuisine 1 » ou « cuisine 2 », « salon 1 », « salon 2 » au crayon-feutre sur les boîtes en carton, tandis que j'aidais maman à faire le ménage. Fanfan tint à porter des boîtes trop lourdes pour lui sous le regard agacé de Jacques. Monsieur Vendôme observait le déménagement du haut de son balcon du troisième étage, portant sa robe de chambre élimée. « Bon débarras ! » semblait-il se dire. La voisine du deuxième était en train de se faire bronzer en tenue minimaliste, comme c'était son habitude. Monsieur Vendôme apporta son journal, s'installa sur une chaise de cuisine et commença à le feuilleter, mais de temps à autre, je voyais le bout de son crâne apparaître au-dessus du journal, et un œil torve fixer la voisine. Papa n'était donc pas le seul amateur des seins de dictionnaire.

Tout notre barda était enfin dans le camion. Étrange, que notre vie puisse tenir dans un espace de dix-huit pieds sur cinq. Madame Vendôme apparut au faîte de l'escalier. Elle se dirigea vers maman, s'arrêta sur ses pas, jeta un regard effrayé vers le balcon où trônait Monsieur Vendôme, mais ce dernier était trop occupé à reluquer la voisine pour remarquer son manège. Elle tendit une main timide vers maman. Un Kleenex dépassait de la manche de son cardigan. Elle lui dit en chuchotant :

— Vous allez nous manquer.

Maman l'embrassa sur la joue d'un mouvement spontané. Madame Vendôme tressaillit, surprise. Elle semblait avoir perdu depuis longtemps l'habitude des caresses. Elle regarda à nouveau en direction du balcon.

— Merci pour tout, murmura-t-elle avant de disparaître à nouveau dans l'immeuble.

On entendit klaxonner. Jacques nous attendait dans sa Oldsmobile. Tout à coup, je pensai à Isabelle. Dans le feu de l'action, je ne lui avais même pas dit au revoir. Je suis partie en flèche et j'ai réussi à rattraper Madame Vendôme. Elle n'avait pas vu Isabelle, elle ne savait pas où elle était. Je redescendis l'escalier, très déçue. Jacques me fit signe avec impatience de monter. Le camion de déménagement était déjà parti, il fallait qu'on soit au nouvel immeuble pour les accueillir.

— J'arrive ! m'écriai-je pour le faire patienter.

Je croisai monsieur Clowé en train de tondre le maigre gazon. Il me fit un sourire édenté en pointant un doigt vers l'arrière de l'immeuble. Je tournai la tête dans cette direction. Isabelle était assise sur une marche de la vieille galerie, dans la cour arrière. Je courus vers elle. Elle traçait des cercles dans la poussière avec une branche.

— Isabelle !

Elle m'a dit « Bye » sans lever la tête.

— On va se revoir bientôt.

Elle était toujours penchée au-dessus de sa branche.

— Non, on se reverra pas.

— Je déménage pas loin. On va être presque voisines.

— On n'ira pas à la même école. Mon père trouve que l'école secondaire publique, c'est un lieu de *déperdition*.

— On va se voir quand même.

Isabelle ne répondit pas. Elle continua à tracer des cercles dans la poussière. Je restai debout près d'elle, malheureuse. J'entendis klaxonner à nouveau. Je suis repartie comme une voleuse. Isabelle avait raison. On ne s'est jamais revues.

Le ménage à trois

Quand les meubles furent installés dans notre nouvel appartement, que maman, avec notre aide, eut fini de poser les rideaux, de défaire les boîtes, de ranger les vêtements, de faire nos trois lits, et qu'elle eut disposé un bouquet de chrysanthèmes jaunes pour égayer la table de la salle à manger, qui servait aussi de salon, on comprit, Fanfan, ma jumelle et moi, que ça y était. On allait vivre tous les trois seuls dans notre propre appartement. Une grande fierté mêlée d'angoisse nous a envahis. On se sentait comme le Petit Prince, seul sur sa planète et, tels des propriétaires néophytes, on a fait cent fois le tour de l'appartement, admirant la salle de bains aux tuiles neuves et brillantes, les robinets combinés grâce auxquels on évitait de se brûler les mains ou de les congeler sous l'eau glacée, comme dans notre ancien logement. Tu as remarqué, j'écris « ancien » comme si, en l'espace d'une journée, notre bon vieux logement tant aimé avait déjà sombré dans un passé insondable.

On a insisté pour étrenner la piscine, qui nous a semblé plus petite que la première fois, mais un enchantement tout de même, malgré les regards noirs que nous lançait une grosse dame qui pataugeait dans l'eau peu profonde, considérant notre présence comme un envahissement illégitime. Maman nous surveillait du coin de l'œil, assise avec un livre, assez loin de l'eau pour éviter de se faire éclabousser. Elle n'avait jamais appris à nager et avait la hantise de se noyer, mais elle a insisté pour que l'on prenne des cours de natation, partant du principe que ce qu'elle n'avait pu apprendre ou maîtriser dans sa vie devait nous être accessible.

Après la baignade, maman a frappé à notre porte pour nous prévenir que le souper était prêt. On l'a suivie dans l'appartement d'à côté, soudain intimidés, comme si on était entrés en terre étrangère. Il y avait quelques meubles qu'on ne connaissait pas et qui appartenaient sans doute à Jacques. D'autres meubles familiers, passerelles rassurantes qui nous permettaient d'accéder à notre nouvelle vie. Jacques nous attendait avec le sourire affable et circonspect d'un voyageur de commerce s'apprêtant à vendre sa salade. Car s'il avait réussi à convaincre maman de louer deux appartements séparés, il était trop avisé pour ne pas savoir qu'elle surveillerait l'arrangement avec une vigilance inquiète, et qu'à la moindre anicroche elle serait prête à changer ses plans. Après tout, elle avait quitté papa dans des circonstances autrement plus difficiles. Jacques déploya avec art son verbe fleuri, s'enquit avec gentillesse de nos vies, fit semblant de s'intéresser à nos réponses. Pour la première fois, sur son insistance, nous avons goûté à un doigt de vin, accédant de façon momentanée au statut d'adulte. Le regard de maman allait de l'un à l'autre, un peu anxieux au début du repas, puis de plus en plus détendu. Le clou de la soirée a été quand Jacques nous a appris qu'il avait été soldat durant la Seconde Guerre mondiale, et qu'il avait même tué un Allemand. Fanfan était médusé.

— Tué pour vrai ?

Jacques eut un sourire indulgent.

— Quand on tue quelqu'un, c'est toujours pour vrai. Tu veux en avoir la preuve ?

Il s'est levé de table, est allé dans son bureau, est revenu avec un casque.

— C'est le casque du soldat que j'ai tué.

— Pourquoi tu l'as gardé ? demanda Fanfan, comme hypnotisé.

— Peut-être parce que je savais que tu me poserais la question un jour.

Ma jumelle examina le casque avec gravité.

— Quel âge il avait ?

Jacques haussa les épaules, soudain mal à l'aise.

— Début vingtaine.

— Te souviens-tu de son visage ?

Son malaise s'accentua.

— Non. Ça fait longtemps, tu sais.

Il y a eu un petit silence. Jacques s'est levé et est allé reporter le casque dans son bureau. Maman nous a souri :

— Êtes-vous heureux, les enfants ?

On lui a dit ce qu'elle voulait entendre, pour la rassurer et pour nous rassurer nous-mêmes. Après la vaisselle vint le moment étrange de nous séparer. Maman est devenue plus fébrile, tenant à nous raccompagner à notre appartement, même s'il était juste à côté du sien. Elle s'assura qu'on s'était bien brossé les dents, alla dans nos chambres, ferma les rideaux, tapota les oreillers. Elle s'attardait, comme si elle ne se résignait pas à nous laisser seuls. On s'est approchés d'elle, on lui a dit « Bonne nuit », on l'a embrassée tour à tour.

— Vous avez tout ce qu'il vous faut ?

On acquiesça en chœur.

— Si vous avez besoin de quelque chose, n'importe quoi, à n'importe quelle heure du jour ou de la nuit, vous venez me voir, hein.

On acquiesça à nouveau. Elle nous couva des yeux, encore inquiète.

— Vous savez que je vous aime très fort.

Là, j'aurais préféré qu'elle s'en aille, parce que les yeux commençaient à me piquer. Est-ce que ça t'arrivait, des fois, d'avoir envie de pleurer quand tu entendais les mots « je vous aime très fort » ?

— Bonne nuit, dis-je un peu sèchement, pour couper court à l'émotion.

Elle comprit qu'elle devait nous laisser à notre sort, qui n'était pas si misérable.

Elle nous embrassa encore une fois, puis s'en alla. On entendit sa voix derrière la porte :

— N'oubliez pas de mettre la chaîne.

On est restés debout au milieu du salon pendant quelques instants. Voilà, c'était fait. On était fin seuls. Ma jumelle et moi, on s'est fait un devoir d'aller reconduire Fanfan dans sa chambre et de border son lit, malgré ses protestations. Il s'est finalement laissé faire, rassuré au fond par nos attentions inhabituelles. Et nous étions nous-mêmes réconfortées par ce rituel du coucher qui nous rappelait maman.

*

« *You want to get rid of your own children to live with your lover!* »

C'est la première phrase que papa, en visite pour la fin de semaine, lança à maman lorsqu'il apprit que Fanfan, ma jumelle et moi allions vivre dans un appartement, et maman et Jacques dans un autre. Il croyait qu'en utilisant l'anglais, on ne comprendrait pas ce qu'il disait, ce qui était bien naïf de sa part, pauvre lui. Sa voix tremblait d'indignation, sa main voletait en l'air comme celle d'un histrion savourant ses effets. Maman, qui s'efforce d'habitude de ne pas jeter de l'huile sur le feu entretenu à l'envi par papa, n'était pas d'humeur à le ménager, cette fois. Elle a adopté le ton le plus ironique de son répertoire :

— Les enfants comprennent l'anglais.

Papa, piqué au vif, se tourna vers nous.

— Mes pauvres petits…

Fanfan le coupa avec sa placidité innocente :

— On n'est pas pauvres, on a une piscine.

Il y eut un moment de flottement. La main de papa resta suspendue dans les airs, en quête d'inspiration.

— Les enfants, vous pouvez faire confiance à votre père.

Tu te souviens, papa avait la curieuse manie de dire « votre père » en parlant de lui, comme si ce père eût été quelqu'un d'autre. Il poursuivit :

— Si vous êtes malheureux, si vous vous sentez misérables dans votre petit appartement, n'ayez pas peur de me le dire.

Maman ne put s'empêcher d'intervenir :

— Misérables… Ils sont quand même pas des gavroches qui traînent leurs savates dans la rue.

Ça, c'était la partie instructive de leurs disputes, quand ils utilisaient des exemples littéraires. Papa ignora sa réplique :

— Les enfants, soyez francs avec votre père.

On hésita, sentant qu'il aurait bien voulu avoir une réponse qui lui donne raison. Ma jumelle s'avança vers lui, lui planta un bec sur la joue.

— Papa, tout va bien, il faut pas t'inquiéter.

Il s'ébroua, ce qu'il faisait quand il était très ému et croyant ainsi le cacher.

— Bon. Tant mieux. Si jamais vous avez un problème, votre père est là, hein, vous le savez.

On répondit « oui » en canon.

On avait appris, par la force des choses, l'art délicat d'apaiser papa dans les situations de crise. Maman a parachevé le traité de paix en l'invitant à souper, profitant du fait que Jacques était en voyage d'affaires. Il s'est empressé d'accepter, proposant même de faire les courses.

Le souper a été joyeux. Papa riait, découvrant ses petites dents blanches aux canines pointues. Maman était heureuse, distribuant son sourire à tout venant. Ils faisaient leurs premiers pas sur un sentier jamais emprunté, celui de l'harmonie. En fin de compte, ils ne se sont jamais aussi bien entendus qu'une fois séparés.

Fanfan perd ses cheveux

Fanfan, ma jumelle et moi avons rapidement pris l'habitude de notre ménage à trois. On en était même arrivés à trouver tout à fait normal de dormir sous un toit différent de celui de notre mère. Et lorsque cette situation inusitée provoquait l'étonnement ou la désapprobation, on retrouvait les réflexes d'autodéfense qu'on avait développés quand nos parents s'étaient séparés : on revendiquait notre droit à la différence, on en faisait même un motif de gloire. Combien d'enfants de notre âge ont la chance de vivre dans leur propre appartement, avec une piscine chauffée au sous-sol ?

L'été de notre emménagement, un événement étrange vint cependant troubler notre quiétude : Fanfan commença à perdre ses cheveux. Chaque matin, il en trouvait une poignée sur son oreiller. Au début, il n'en a pas parlé et portait toujours une tuque, même en pleine canicule, ce qui lui valut des quolibets de notre part. Maman, très agacée parce que Fanfan refusait d'enlever sa tuque pour le souper, l'arracha un soir dans un mouvement d'humeur et poussa une exclamation horrifiée : son crâne était dégarni au milieu, comme la tonsure d'un moine. Fanfan éclata en sanglots et alla se réfugier dans notre appartement. Maman courut le rejoindre, mais ne put entrer tout de suite, car il avait mis la chaîne.

C'était le drame, je te le donne en mille. Ma jumelle et moi avons échangé un regard plein de remords pour nous être si copieusement moquées de Fanfan sans nous douter un instant de la cause de sa manie. Jacques, lui, prit la chose de façon flegmatique :

— Fanfan est bien trop jeune pour que ce soit une vraie calvitie. Ses cheveux vont repousser.

« Facile à dire », ne pus-je m'empêcher de penser en regardant le crâne à moitié chauve de Jacques. Je lui en voulais de sa désinvolture, songeant qu'après tout, c'était peut-être sa présence qui était la cause de ce problème capillaire.

Maman tenait à ce que Fanfan consulte un médecin. Fanfan ne voulait rien savoir, mais elle entreprit de le convaincre, utilisant tour à tour douceur et fermeté, jusqu'à ce qu'il cède. Selon le médecin qui l'examina, la perte de cheveux était temporaire. Il n'en connaissait pas la cause, sinon qu'il y avait sans doute un facteur psychologique. Voilà, le grand mot était lâché, et il plongea maman dans une anxiété coupable. Elle commençait à douter du bien-fondé de ce « ménage à trois » qu'elle nous avait si gentiment imposé pour sauver sa relation avec Jacques. Sans compter l'autre facteur aggravant : Jacques lui-même. Il avait conçu une sorte d'allergie pour Fanfan, qui se manifestait surtout pendant les soupers en famille. Il reprenait Fanfan sur tout ce qu'il disait, lui reprochait son manque de vocabulaire, ses généralisations à outrance, ou ses *truismes*. Ma jumelle et moi avons cru que ce mot avait un rapport avec truie, et étions indignées par une telle insulte, mais une incursion dans le dictionnaire nous apprit que c'était presque pire : il accusait notre frère de dire des évidences.

Fanfan, à force d'être contesté et pris à partie, avait fini par adopter exactement le comportement que Jacques lui reprochait. Il fit des généralisations encore plus intempestives, bredouillant sous le regard bleu acier de Jacques. Maman intervenait, prenant la défense de Fanfan tout en donnant raison à Jacques sur le fond. Fanfan en remettait, pris malgré lui dans les filets de ses propres affirmations, et Jacques triomphait calmement en concluant « tu vois bien, ton raisonnement ne tient pas debout ».

Jacques nous prenait parfois habilement à témoin, ma jumelle et moi. J'aimerais pouvoir te dire que nous avons courageusement pris le parti de notre petit frère, mais comme nous étions souvent agacées nous-mêmes par ses tirades sans queue ni tête, et que nous voulions gagner le cœur de Jacques, maintenant qu'il faisait partie de notre vie, nous nous rangions parfois du côté de l'ennemi.

Ce handicap capillaire, que nous souhaitions provisoire, ne nous rendit pas plus indulgentes envers Fanfan, même s'il bénéficia d'un état de grâce qui dura quelques semaines. Nous lui en voulions de cette perte de cheveux, symbole trop évident des tortures mentales qu'il endurait à cause de Jacques et de nous. Maman, ayant réussi de peine et de misère à le convaincre d'enlever sa tuque au moins pour prendre sa douche et pour dormir, nous devions supporter chaque soir le spectacle de sa « tonsure ». Mais nous étions en même temps fascinées par ce vide étrange, nous le scrutions à la dérobée en espérant y déceler quelques poils naissants grâce à l'onguent que le médecin avait prescrit. Rien, le désert. Et lorsque Fanfan, par malheur, nous surprenait en train d'observer la zone interdite, il hurlait :

— Arrêtez de me regarder ou je vous tue !

Un jour, le miracle arriva : une touffe de poils apparut et resta bravement accrochée au cuir chevelu de Fanfan. Et bientôt il retrouva tous ses cheveux. Fanfan reprit de l'assurance. Il cessa de bafouiller quand Jacques le cernait de questions. Il continua à parler à tort et à travers et à faire des affirmations fantaisistes, mais avec légèreté, sans s'échauffer ni tenter de les justifier, ce qui agaçait énormément Jacques, dont la logique la plus rigoureuse ne venait plus à bout de ces élucubrations facétieuses. Maman prenait maintenant le parti de Fanfan, quitte à essuyer le regard sceptique ou goguenard de Jacques. Elle était rassurée sur la survie du ménage à trois, mais avait décidé que Fanfan n'en ferait plus les frais.

Madame Y

Tandis que les cheveux de Fanfan repoussaient, papa n'avait pas tardé à remplacer Madame K par une certaine Madame Y, une veuve joyeuse native de l'Europe de l'Est, à l'instar de Madame K. Il l'avait rencontrée à une réception d'ambassade, le club de rencontres mondain d'Ottawa où les divorcées et les veuves, joyeuses ou pas, se cherchent un mari. C'est Mimi qui nous a appris la nouvelle, quand on est allés la visiter dans sa nouvelle maison, près du canal Rideau. Elle était enceinte de quelques mois. Ça ne paraissait pas encore, elle était juste un peu plus pâle que d'habitude et sa tête légèrement penchée, comme une tulipe qui manque d'eau. Elle n'approuvait pas la nouvelle flamme de papa :

— Maman est tellement plus jolie qu'elle ! Je le comprends pas. De toute façon, Madame Y est juste une *gold digger*.

— C'est quoi, une *gold digger* ? demanda Fanfan.

— Une opportuniste qui court après l'argent.

Il y avait une rancœur inhabituelle dans sa voix. Je me suis demandé si Mimi, dans son « fort » intérieur, n'en voulait pas plutôt à papa de retrouver si facilement le bonheur après avoir rendu maman si malheureuse. Ou peut-être était-ce la nostagie de ce qui aurait pu être. Sur son frigo, elle a collé une photo où nos parents se tiennent par la taille au bord d'une plage, éblouis par une lumière ocre, de la même couleur que le sable. Jamais on aurait cru, tellement ils avaient l'air heureux sur le papier glacé, qu'ils vivaient tant de tourments et d'ombres.

— Au moins, ça lui adoucit le caractère, soupira Mimi, une main sur le ventre.

C'est vrai que papa filait un bon coton depuis quelque temps. Quand on lui rendait visite, il ne ronchonnait plus contre les mauvais conducteurs ou la tondeuse qui refusait de démarrer. Il avait les joues roses et sentait l'eau de Cologne. Il avait cependant contracté l'étrange habitude de parler contre les juifs. J'écris étrange, car papa, jusqu'à présent, n'avait pas montré de vindicte particulière à leur sujet. Du jour au lendemain, il se mit à dénoncer le complot juif international et les Protocoles des sages de Sion, preuve ultime que les juifs conspiraient pour s'emparer du pouvoir mondial. Ma jumelle et moi avons cherché *Protocoles de Sion* dans le dictionnaire des noms propres, sans succès.

— Les juifs contrôlent les banques, ils possèdent les gros studios de cinéma à Hollywood pour faire leur propagande. C'est une mafia ! Ils se tiennent tous entre eux, poursuivait papa sur sa lancée. Il disait « les juifs », « ils », comme s'il s'agissait d'une variété de cloportes vaguement répugnants. Quand j'ai parlé des Protocoles des sages de Sion à maman, elle m'a regardée, interloquée :

— Où t'es allée pêcher ça ?

Ne voulant pas discréditer papa alors qu'une trêve semblait régner entre lui et maman, j'ai esquivé la question en haussant les épaules.

— C'est ton père, devina-t-elle, vous l'avez vu la fin de semaine dernière.

Mon silence lui donna raison. Maman dit alors que Sion était un des noms donné à la ville de Jérusalem, mais que les Protocoles des sages de Sion étaient un mythe fabriqué par des antisémites pour tenter de donner de la crédibilité à la thèse d'un complot juif.

— Votre père devrait pas vous répéter des sornettes pareilles. C'est indigne de lui.

*

S'il faut en croire Mimi, la liaison de papa avec Madame Y est demeurée discrète pendant les premiers mois. Papa allait lui rendre visite chez elle, stationnait sa voiture derrière sa maison pour que les voisins ne le voient pas, ce qui n'empêcha pas toute la ville d'être au courant, car papa était si fier d'avoir conquis le cœur de Madame Y qu'il ne pouvait s'empêcher de se cacher avec ostentation.

Les présentations officielles eurent lieu dans un restaurant italien avec des garçons en habit noir, et des nappes blanches, des lampes miniatures et des fleurs artificielles sur les tables. Papa était nerveux, nous a avertis deux fois plutôt qu'une que, Madame Y ne parlant pas français, il fallait s'adresser à elle en anglais. Il nous fit une démonstration :

— Quand je vous présente, vous dites *I am very pleased to meet you.* Répétez après moi…

Avant notre départ, il nous passa en revue comme un corps d'armée, redressant le nœud papillon de Fanfan, scrutant de près nos souliers vernis. Puis on a entendu la porte d'entrée s'ouvrir et se fermer. J'ai aperçu ta silhouette noire dans le vestibule. Tu tenais une pile de livres dans tes bras. Tu nous as aperçus, tu as souri :

— Où vous allez, habillés comme des princes consorts ?

Papa accusa le coup, mal à l'aise. Tu en as deviné la cause sans peine.

— C'est en l'honneur de la fameuse Madame Y ?

Papa a pris la mouche, convaincu que tu le jugeais aussi sévèrement qu'il se jugeait lui-même :

— Je te défends de te moquer d'elle !

Tu l'as regardé sans une once d'animosité.

— Je me moquais pas.

Papa s'est radouci.

— Si je t'ai pas invité, c'est juste que…

— C'est pas grave. J'ai pas d'habit décent, de toute façon.

— Je peux t'en prêter un. On n'a pas tout à fait la même taille, mais…

— C'est pas nécessaire. Merci quand même.

Juste au moment où tu te dirigeais vers l'escalier pour monter à ta chambre, papa a eu un geste inattendu :

— Je t'en prie, viens avec nous. Ça me ferait vraiment plaisir.

Tu t'es tourné vers lui. Il y avait de l'affection dans ton regard posé sur papa, et une nuance de surprise.

En fin de compte, tu nous as accompagnés. Sans aller jusqu'à porter un des habits de papa, tu as fait un effort vestimentaire, nouant une jolie écharpe en soie autour de ton cou. Tes cheveux étaient peignés en arrière. Tu avais même mis un peu d'eau de Cologne empruntée à papa. Le maître d'hôtel t'a toisé avec un sourire obséquieux.

— Désolé Monsieur, la cravate est obligatoire dans cet établissement.

Papa l'a coupé sèchement :

— Mon fils est très bien comme il est. Si vous voulez, je peux choisir un autre restaurant.

Pour une fois, j'étais épatée par son ton ferme et hautain qui, dans d'autres circonstances, m'aurait embarrassée. Le maître d'hôtel a balbutié des excuses et nous a menés vers notre table. Heureusement qu'on n'a pas été obligés d'aller ailleurs, Madame Y nous attendait déjà. Elle était plutôt jolie, avec ses yeux bleu pervenche, façon Elizabeth Taylor. Elle s'est levée quand elle nous a aperçus, mais elle était tellement corsetée qu'elle a dû s'agripper au dos de sa chaise pour rester debout. Tu l'as galamment soutenue d'une main et tu l'as aidée à se rasseoir dignement.

— *Pleasing to meeting you*, a-t-on murmuré timidement quand papa a fait les présentations.

Une fois assis, on eut tous une attaque de timidité qui nous cloua le bec. C'est toi qui as sauvé les meubles. Tu t'es tourné vers Madame Y et tu t'es mis à bavarder avec elle, comme si tu la connaissais depuis toujours, lui posant des questions sur son pays d'origine, ses plats préférés, la complimentant sur sa robe, passant de l'anglais au français avec une grâce de bateleur. On a appris ainsi que Madame Y était née dans un petit village yougoslave, à la frontière de l'Italie. Durant la guerre, les communistes ont brûlé leurs terres et volé leurs biens, elle et sa famille ont tout perdu à cause d'eux et ont dû fuir leur pays bien-aimé, se sont d'abord réfugiées en Autriche, puis ont émigré au Canada. Elle faisait son propre vin et ses confitures, confectionnait ses robes d'après des patrons Vogue et Simplicity, cultivait un potager dans son jardin, prédisait l'avenir dans les feuilles de thé. Mise en confiance, elle se mit à parler de notre pays, la vie y serait meilleure si les juifs n'avaient pas le haut du pavé, ils régnaient sur le capital, les banques, la politique, une véritable mafia... Ma jumelle et moi avons échangé un regard entendu : on avait enfin compris à quelle source papa puisait ses diatribes contre les juifs. Madame Y poursuivit sur la lancée, parlant anglais avec un fort accent slave :

— *Did you know that Jews change their names when they immigrate in a country, to hide their real identity?*

Tu lui as répondu, le plus sérieusement du monde :

— *It's true. Our family name was Gautilevitch, and we changed it to Gauthier when we arrived in Canada.*

Papa s'est étouffé dans son verre de vin. Madame Y est devenue pâle comme la nappe. Le repas s'est terminé dans le silence.

Après la soirée au restaurant, papa est allé reconduire Madame Y chez elle. Il avait les dents serrées, on attendait l'orage d'une seconde à l'autre. Au bout d'un moment, il a éclaté :

— Qu'est-ce qui t'a pris de dire à Madame Y que notre nom était Gauti… je sais pas quoi ! Es-tu devenu fou ?

— Quand on parle contre les juifs, j'en deviens un.

Papa est resté interdit. La discussion s'est arrêtée là.

Avant qu'on aille se coucher, il nous a réunis au salon. Il arborait un air solennel :

— Mes enfants…

Quelle brique va encore nous tomber sur la tête ? ne pus-je m'empêcher de penser.

— Madame Y et moi avons décidé de… De joindre nos destinées.

Tu as souri devant tant de componction. Se trouvant lui-même un peu pompeux, papa rajusta son tir :

— Enfin, nous allons… nous marier. Ça va être un mariage civil. Pas de fla-fla. À notre âge, ça serait ridicule.

As-tu remarqué que même le fait de s'attendre à quelque chose n'empêche pas d'être pris au dépourvu. Papa s'est tourné vers toi, mal à l'aise.

— Madame Y tient à garder sa maison. Je vais emménager chez elle.

Tu es resté silencieux un moment. Peut-être as-tu pâli un peu, mais je n'en suis pas certaine. Puis tu as dit, la voix étale :

— Et ta maison ?

— Je vais être obligé de la vendre, mais ne t'en fais pas, je vais te trouver un appartement.

Tu t'es levé d'un bond, furieux.

— Pour qui tu me prends ? J'ai pas l'intention de passer le reste de ma vie à tes crochets !

Papa s'est levé à son tour, t'as mis gentiment une main sur le bras.

— Tu vivras pas à mes crochets.

Il hésita un instant, puis plongea :

— Une de nos libraires est tombée enceinte. Tu pourrais la remplacer pendant son congé. Après, on verra.

Tu n'as rien dit sur le moment. Puis tu es sorti en direction de la cuisine. On a entendu un bruit de casseroles remuées. Papa s'est tourné vers nous, l'air découragé :

— Est-ce que ça veut dire qu'il accepte ?

Avec toi, c'était difficile de savoir. Peut-être que Madame Y aurait pu le deviner, mais, à mon avis, tu étais beaucoup plus compliqué à lire que des feuilles de thé au fond d'une tasse.

Quelques minutes plus tard, tu es revenu au salon.

— J'accepte. Mais à la condition que tu me traites sur le même pied que tous tes employés.

Papa a eu l'air très soulagé.

*

Maman a accueilli la nouvelle du remariage de papa avec un flegme ironique.

— Tant mieux pour lui, et tant pis pour elle.

Après un léger temps, elle a ajouté, mine de rien :

— Comment vous l'avez trouvée, Madame Y ?

Déchirée entre le désir de plaire à maman et la franchise, j'optai comme d'habitude pour une réponse neutre :

— Elle fait ses robes et son vin elle-même.

Maman fit un petit mouvement de la main comme pour chasser une mouche.

— Je veux dire… physiquement.

Là, je marchais carrément sur des œufs. Ma jumelle vint à mon secours.

— Elle a de beaux yeux. Pervenche.

Maman haussa les épaules pour marquer un profond désintérêt, mais sa façon de tapoter un coussin m'indiqua qu'elle était piquée. Aussi ai-je trahi Madame Y sans vergogne.

— Elle porte un corset.

Maman remit le coussin en place, satisfaite de ma réponse.

*

Le mariage entre Madame Y et papa eut lieu sans tambour ni trompette. Pas de robe blanche, pas de confettis, et pas d'oncle Lionel pour cogner sur les verres. C'est toi qui faisais office de témoin. J'ai su plus tard que papa avait d'abord demandé à Mimi, qui avait refusé, prétextant avec diplomatie une grossesse difficile. Je me souviens, tu avais épinglé un œillet blanc sur le côté gauche de ton col roulé noir. Papa était tiré à quatre épingles, Madame Y, élégante avec une jolie robe bleue de la même couleur que ses yeux, un modèle Vogue, m'avait-elle expliqué, cintré pour mettre sa « taille de guêpe » en valeur, avait renchéri papa avec fierté.

À la réception, après, tu as même dansé avec Madame Y pour faire plaisir à papa. Il vous regardait, les yeux brouillés par le gin et l'émotion. Malgré vos disputes, et peut-être à cause d'elles, vous étiez enchaînés l'un à l'autre comme des bagnards, compagnons d'infortune, solidaires par nécessité.

Quatrième cahier

Balzac

Puis ce fut la rentrée scolaire. Pour la première fois de notre vie, ma jumelle et moi allions prendre l'autobus pour nous rendre à l'école secondaire Saint-Laurent, située à une demi-heure de chez nous. Maman nous a expliqué mille fois le trajet, comment nous procurer les billets d'autobus, où descendre. Nous avons troqué notre tunique noire et nos tresses pour une queue de cheval, une jupe grise et un blaser marine, uniforme dont nous nous sommes vite lassées mais qui nous est apparu comme un symbole d'affranchissement durant les premières semaines. Sans oublier les lunettes. Pendant la dernière année à l'académie Saint-Joseph, ma jumelle et moi avions de la difficulté à lire au tableau, les lettres et les chiffres étaient brouillés. Au grand agacement de maman, on se collait le nez sur la télé. On ne reconnaissait plus personne de loin, même Monsieur Vendôme, c'est te dire. J'ai choisi une monture discrète. Ma jumelle opta pour des lunettes rondes à la John Lennon. Elle a été la première à en porter, à l'école, ce qui lui valut beaucoup de regards hostiles, moqueurs et envieux, qu'elle affronta avec son sourire bravache, tu sais comment elle est.

Autre changement d'importance : ma jumelle et moi n'étions pas dans la même classe. C'est maman qui en avait décidé ainsi. Nous étions toujours ensemble, disait-elle, ce serait une bonne chose pour nous de nous faire des amis différents, d'acquérir plus d'indépendance. Je m'opposai farouchement à cette décision : j'avais assez souffert à la perspective d'être séparée de ma jumelle, au moment de l'incident du bulletin, ce n'était certainement pas pour me retrouver dans une autre classe. Mais maman, pour une fois, fut inébranlable. Contre toute attente (enfin, la mienne), je n'eus pas l'appui de ma jumelle. Elle décréta qu'on n'était pas des sœurs siamoises, ce que je trouvai un peu expéditif, mais j'étais trop orgueilleuse pour montrer ma peine. Je me rangeai donc à la décision de maman en prétendant que ça ne me faisait rien, que c'était pour ma jumelle que je m'inquiétais, ce qui était contraire à la vérité, tu t'en doutes bien.

Dans cette nouvelle école, tout était différent : il y avait des cours obligatoires (français, maths, philo, chimie) et des cours optionnels (latin, espagnol, histoire, etc.). Avec mon grand sens pratique, j'ai choisi le latin et les arts plastiques ; ma jumelle, l'espagnol et le théâtre. Quant au cours de religion, qui était obligatoire à l'académie Saint-Joseph, nous avions maintenant un *opting out* et pouvions choisir le cour de morale. À la grande surprise de maman, ma jumelle et moi avons décidé de nous inscrire au cours de religion, car la majorité des élèves y étaient déjà et nous craignions de nous singulariser à nouveau. Elle accepta notre choix, mais elle n'était visiblement pas d'accord.

— Le jour où on va enfin avoir des écoles neutres, les poules vont avoir des dents ! dit-elle, mécontente.

Les étudiants étaient regroupés dans des classes (a, b, c, d, etc.), mais nous devions changer de salle pour chaque cours, et il y avait des professeurs différents. Beaucoup d'étudiants se plaignaient d'avoir à se trimballer d'une salle de classe à l'autre, ou à parcourir d'interminables couloirs. Des parents dénoncèrent le sentiment d'insécurité que cette nouvelle organisation risquait de créer chez les élèves. Mais venant d'une petite école où l'on restait prisonnières d'une seule classe pendant des années, où l'on avait peu de professeurs, où la cour d'école était grande comme ma main, où le climat de serre étouffante favorisait les ragots et les rivalités mesquines, l'anonymat, les corridors interminables, les changements de classe et de professeur à tout bout de champ me ravissaient.

*

Lorsque j'arrivai au cours de littérature, en retard parce que je m'étais égarée en prenant le mauvais corridor pour me rendre à l'aile G à l'autre extrémité de l'école, j'y retrouvai avec surprise (et une joie disproportionnée, je te l'avoue) ma sœur jumelle. On avait beau être dans des classes différentes, on avait quelques cours en commun. Je lui sautai dans les bras comme si je ne l'avais pas vue depuis trois mois. Elle a accueilli mes effusions avec une note d'impatience, mais j'ai senti qu'elle était aussi contente de me retrouver. Le professeur de littérature n'était pas encore arrivé. Une étudiante au visage rond et aux immenses yeux bleus qui la faisaient ressembler à Tweety Bird nous chuchota que Monsieur Monge avait la réputation d'être souvent en retard, mais que ça valait le coup d'attendre.

— Pourquoi ? demanda ma jumelle, intriguée.

— Il est beau comme un cœur.

Ma jumelle ne se laissait pas facilement impressionner :

— Puis après ? J'espère qu'il est intelligent.

La porte s'ouvrit brusquement. Un homme de taille moyenne aux cheveux courts très noirs et drus, une Gitane éteinte au coin des lèvres et portant des lunettes teintées entra dans la classe, un attaché-case à la main. Il jeta son attaché-case sur son pupitre d'un geste désinvolte. L'attaché-case atterrit trop rapidement sur le pupitre et alla s'écraser sur le sol, s'ouvrant sous le choc, laissant échapper des livres et de la paperasse. Il y eut quelques gloussements dans la classe, vite réprimés sous le regard ironique de Monsieur Monge. Sans se troubler, il alla récupérer son attaché-case puis se tourna vers nous :

— Qu'est-ce qu'un roman ? demanda-t-il abruptement, sans même se présenter.

Personne n'osa répondre. Il attendait, goguenard, semblant prendre plaisir à notre embarras. Puis une main se leva bravement. Je n'eus même pas besoin de tourner la tête, j'étais sûre que c'était ma kamikaze de jumelle. Elle avait la voix un peu tremblante.

— C'est… c'est un miroir qu'on promène sur les chemins.

Il regarda ma jumelle, étonné.

— Quel auteur a écrit cette phrase ?

— Je… Je pense que c'est Balzac.

— Non, c'est Stendhal. Mais la citation était pas mal.

Ma jumelle a rougi jusqu'à la racine de ses cheveux, ce qui était rare chez elle. Tweety Bird lui a tapoté gentiment la main, en lui chuchotant :

— Je t'avais dit qu'il était *cute*…

Après le cours, alors que ma jumelle et moi sortions de la classe, elle vint nous rejoindre :

— Je m'appelle Margot. Il paraît que vous êtes des jumelles, mais je trouve que vous êtes très différentes.

Elle fit ma conquête avec cette seule phrase.

Margot ne tarda pas à nous présenter ses copines : Lucie, une grosse fille joviale qui ne jugeait jamais personne, était toujours heureuse des réussites des autres et jamais déçue de ses résultats scolaires plutôt médiocres. L'autre copine de Margot s'appelait Josiane. Elle était d'origine haïtienne, arborait en permanence un sourire indulgent et goguenard, et adorait Bob Morane, ce qui n'était pas la moindre de ses qualités. Elle avait toujours une opinion franche et simple sur les gens qui se résumait en quelques mots lapidaires. Par exemple, devant l'enthousiasme de Margot pour Monsieur Monge, elle se contentait de dire, placide, « il est fendant ». Josiane était la seule à ne pas être impressionnée par les manières à la fois abruptes et sophistiquées de notre professeur de littérature.

Je vénérais Monsieur Monge en silence, entourant sa vie d'un halo de mystère qu'elle ne recelait sans doute pas. Ma jumelle le détestait avec trop d'ardeur pour que ça ne trahisse pas un béguin contrarié. Quant à Lucie, elle se contentait de retenir son souffle quand il faisait ses entrées fracassantes en classe, suivant ses moindres mouvements. Elle poussait un soupir de soulagement lorsque son attaché-case atterrissait, comme prévu, sur le pupitre, et se mordait les lèvres, mal à l'aise pour lui, lorsqu'il ratait son coup et que l'attaché-case allait s'écraser par terre, ce qui arrivait une fois sur deux.

On était devenues un quatuor inséparable : on s'assoyait ensemble à la cafétéria et au cours de Monge, on étudiait chez l'une ou chez l'autre après l'école, on allait au cinéma Outremont et on écoutait les Beatles. Mais on ne savait pas alors qu'une personne allait bientôt chambouler l'échiquier de nos amitiés, conquérir nos âmes, ravir nos cœurs et les briser : Élisabeth.

Élisabeth Première

Élisabeth s'est jointe au cours de Monsieur Monge en janvier, trois mois après le début des classes, pour des raisons de santé, semble-t-il. Elle arriva en retard au cours, mais ne se troubla pas le moins du monde devant l'accueil caustique de Monge :

— Vous avez manqué un trimestre, alors quinze minutes de plus ou de moins…

Elle alla s'asseoir, impériale, à un pupitre éloigné. Elle avait le front haut, des yeux verts très écartés l'un de l'autre mais qui lui donnaient une sorte de charme austère, et avait un port de reine. On l'avait surnommée Élisabeth Première, à cause de ses manières qui en imposaient, mais aussi parce qu'elle adorait le théâtre et rêvait de devenir une tragédienne.

Au début, elle nous battit froid. En fait, elle ne parlait à personne. Elle était détestée pour les mêmes raisons qu'elle était admirée : elle semblait vivre dans une autre dimension, comme si elle avait la conviction intime qu'elle aurait un destin unique, une vie d'exception. Et nous n'en faisions pas partie.

Un jour, après le cours de Monsieur Monge, elle vint vers nous et dit, avec une froideur qui masquait peut-être sa timidité, qu'elle cherchait quelqu'un pour lui donner la réplique à un atelier de théâtre. Ma jumelle s'offrit spontanément. Élisabeth la toisa :

— As-tu de l'expérience ?

Ma jumelle soutint son regard.

— Je prends un cours de théâtre à l'école.

Élisabeth eut un sourire méprisant :

— Je te parle d'un « vrai » cours, donné par de « vrais professionnels ».

Ma jumelle ne se troubla pas :

— C'est un « vrai » cours. C'est Madame Lacroix qui le donne, et elle a déjà joué au théâtre.

Élisabeth regarda ma jumelle avec intérêt :

— Je vais te prendre à l'essai, décréta-t-elle.

Ma jumelle sourit, à la fois ravie et surprise d'avoir réussi à plaire à la ténébreuse Élisabeth.

— Viens, on va répéter dans un local, poursuivit Élisabeth, sans même la consulter sur son emploi du temps.

Elles s'éloignèrent. J'ai eu un pincement au cœur, qui ressemblait à de la jalousie.

— C'est une « pouèche », dit Josiane d'une voix calme et posée.

Dans notre groupe, « pouèche » était l'insulte suprême, ça voulait dire pimbêche avec une note de mijaurée. J'étais rassurée de ne pas être la seule à éprouver de l'antipathie pour Élisabeth Première.

À la fin de la journée d'école, ma jumelle n'était pas à l'arrêt d'autobus, comme d'habitude. Quand je suis arrivée à l'appartement, elle n'était pas là non plus. Je me suis plongée dans un Bob Morane en attendant son retour, mais même *La vallée des brontosaures* n'arrivait pas à me sortir d'une léthargie morose. Ma jumelle est rentrée juste avant le souper, elle était aux oiseaux :

— J'ai répété une scène avec Élisabeth, elle trouve que j'ai du talent.

J'essayai d'avoir l'air enthousiaste :

— Quelle pièce ?

— *La Mouette*, de Tchekhov. T'aurais dû l'entendre, elle est tellement bonne. J'ai failli pleurer en l'écoutant.

Je n'avais jamais entendu ma jumelle parler de quelqu'un avec autant de passion. J'avais le cœur gros, me sentant tout à coup exclue de son univers. Pendant le souper, elle fit encore l'éloge d'Élisabeth, vantant son talent de comédienne, son intelligence, sa présence, etc. Je n'ai pas pu m'empêcher de jeter un pavé dans sa mare :

— Josiane trouve que c'est une « pouèche ».

Ma jumelle éclata :

— C'est pas vrai ! Vous êtes jalouses !

Tu connais maman, elle a horreur des disputes, alors elle est intervenue pour calmer le jeu.

— Arrêtez de vous crêper le chignon, les petites filles.

Crois-le ou non, elle nous appelait encore les petites filles, même si on avait douze ans bien sonnés. Le mot « jalouse » m'était entré dans le cœur comme un dard, et j'étais d'autant plus mortifiée que ma jumelle avait visé juste. Je me suis levée de table précipitamment pour qu'elle ne me voie pas pleurer et j'ai disparu dans la salle de bains. J'ai fait couler l'eau du robinet, je me suis rincé les yeux. Va savoir pourquoi, je pensai aux fourmis que j'observais quand j'étais petite, le long trajet vers leur fourmilière. J'imaginai ces milliers de fourmis ouvrières qui ont chacune leur tâche et l'accomplissent avec célérité, sans jamais quitter le chemin qui leur est dévolu, et je me sentais aussi petite qu'elles, mais sans savoir quelle tâche accomplir ni quel chemin emprunter. Les fourmis ont-elles un cerveau ? Souffrent-elles ? Éprouvent-elles des sentiments ? La jalousie, par exemple ? L'eau continuait à couler. La personne qui me fixait dans la glace était devenue une étrangère, ma tête a commencé à tourner, j'ai dû m'appuyer sur le bord du lavabo pour ne pas tomber. La porte s'est entrouverte, ma jumelle m'a jeté un coup d'œil inquiet :

— Es-tu correcte ?

— Oui, oui, répondis-je faiblement. J'ai un peu mal au cœur.

Ma jumelle a refermé la porte. Je me regardai à nouveau dans le miroir. Je m'étais retrouvée moi-même, comme si ma jumelle, en s'inquiétant pour moi, avait enlevé le morceau de glace qu'une fée des neiges y aurait mis.

Les marchands de tapis

Je voyais ma jumelle de moins en moins souvent. À la demande d'Élisabeth, elle s'était inscrite à l'atelier de théâtre d'une comédienne qui avait connu son heure de gloire, Laura Rivière, une belle femme d'une soixantaine d'années au physique de walkyrie. Ma jumelle ne jurait plus que par Élisabeth et l'atelier de Madame Rivière. Elle s'y rendait deux soirs par semaine, et les autres soirs, elle répétait avec Élisabeth pour préparer un récital qui aurait lieu dans quelques semaines. Elle parlait avec un crayon dans la bouche pour améliorer sa diction et apprenait des scènes par cœur. Plus rien n'existait pour elle que ces heures passées dans le salon de Madame Rivière, qu'elle décrivait par le menu. Les murs étaient tapissés de photos de l'actrice tout au long de sa carrière : Madame Rivière incarnant *L'Aiglon*, *Andromaque*, *Antigone*. Il y avait même une photo d'elle avec Gérard Philipe, autographiée par le célèbre acteur.

Madame Rivière trônait sur un récamier et, une main délicatement posée sous son triple menton, la mine inspirée, elle écoutait ses élèves répéter leurs scènes, et fermait parfois les yeux comme pour mieux se concentrer. Ma jumelle m'avoua qu'elle s'endormait parfois pendant qu'Élisabeth et elle répétaient une scène, et se réveillait brusquement lorsqu'une réplique était déclamée plus fort. Il paraît qu'elle souffrait de narcolepsie. J'eus envie de dire qu'elle souffrait probablement plus d'ennui, mais gardai cette pensée mesquine pour moi.

Même si elle me blessait, je comprenais l'admiration que ma jumelle vouait à Élisabeth Première. Nous sortions à peine de l'enfance et Élisabeth, pourtant à peine plus âgée que nous, donnait l'impression d'avoir vécu, de savoir et de comprendre des choses dont nous n'avions pas la moindre idée. Comme toi, elle était très secrète sur sa vie personnelle, n'emmenait jamais personne chez elle, ce qui accentuait l'aura de mystère autour d'elle.

*

« Je veux devenir comédienne », déclara ma jumelle un soir, alors que nous étions à table. Maman et Jacques échangèrent un regard indulgent. Jacques n'allait jamais au théâtre, qu'il considérait comme un art décadent, au même titre que la danse. Il avait un certain mépris pour les romans, qu'il trouvait trop « sentimentaux », et ne jurait que par les essais politiques, les biographies historiques, les compositeurs allemands et, depuis quelque temps, la musique dodécaphonique de Penderecki. Il se tourna vers moi :

— Et toi, qu'est-ce que tu veux faire ?

Je fus prise de panique pendant quelques secondes. J'avais déjà pensé devenir paléontologue, à cause des histoires de dinosaures dans Bob Morane et des livres sur l'Égypte ancienne que papa rapportait de la librairie. Un souvenir d'enfance m'est revenu à cet instant. Je devais avoir sept ans, tu étais assis au pied du lilas, dans le jardin, et tu étais en train de lire. Je me suis approchée de toi, je t'ai demandé ce que tu lisais.

— *L'écume des jours.* C'est un très beau roman, un de mes préférés.

Tu m'as montré le livre. Il était en format de poche, un peu jauni et écorné. Tu vas sûrement trouver que j'invente un peu, mais je me rappelle encore ce que tu m'as dit, le dos appuyé contre le tronc du lilas :

— Tu vois ces petits caractères noirs ? Ils ont le pouvoir de nous transporter sur des rivages étranges et en même temps familiers. Pour quelques sous, tu achètes des contrées inconnues tout en étant assis dans un jardin ou dans un fauteuil près d'une fenêtre. Mais une fois que tu mets le pied dans cette forêt de mots, tu ne peux plus jamais en sortir. Ça te change pour toujours.

Un soir, pendant le souper, papa t'avait demandé ce que tu comptais faire de ta vie, et tu avais répondu, tes yeux regardant ailleurs, comme si tu n'étais plus tout à fait là :

— Je veux devenir écrivain.

Papa avait secoué la tête.

— Mon pauvre garçon, tu ne réussiras jamais à vivre de ta plume. Trouve-toi un vrai métier, tu écriras dans tes loisirs.

— Je me fous de gagner ma vie ! Je veux pas devenir un marchand de tapis comme...

Tu t'es interrompu. Papa était blême.

— Comme moi ?

La tension a monté d'un cran. J'ai eu peur que papa te frappe. Il a commencé à parler, la voix un peu rauque, comme s'il avait mal à la gorge.

— Il faut des écrivains pour écrire des livres, et des marchands de tapis pour les vendre.

Cette fois, c'est papa qui est sorti de la cuisine. Tu as fait un mouvement pour aller le rejoindre, puis tu t'es rassis, renonçant à l'avance à des excuses qui ne seraient qu'un sparadrap sur une blessure inguérissable.

— Je veux devenir écrivain.

Maman m'a souri :

— C'est un beau métier.

Jacques m'a regardé, sceptique :

— Si l'art bourgeois t'intéresse...

J'ai répliqué sans réfléchir :

— J'aime mieux pratiquer un art bourgeois que d'être un marchand de tapis !

Maman s'est tournée vers moi, surprise de ma repartie. Elle ne se doutait pas que tu en étais l'inspirateur. Jacques, si calme d'habitude, s'est levé, visiblement irrité.

— J'ai des coups de téléphone à donner. Le marchand de tapis doit gagner sa vie.

Il est sorti en direction de son bureau. Décidément, cette réplique faisait mouche à tout coup... Maman a attendu quelques instants, pour ne pas perdre la face, puis s'est levée et est allée le rejoindre, se retenant pour ne pas courir. Ma jumelle, d'un mouvement spontané, m'a pris la main. Je sentais la chaleur de sa main dans la mienne, une légère pulsation près du poignet, et je me suis dit que, même si nous vivions dans deux corps séparés, nous avions la même chair, et que rien, pas même Élisabeth, ne pouvait briser ce lien étrange et indéfectible.

Histrion

Le récital approchait à grands pas. Les élèves de madame Rivière devaient présenter une douzaine de scènes célèbres tirées du répertoire. Ma jumelle répétait fiévreusement deux scènes de la pièce *Le jeu de l'amour et du hasard,* de Marivaux. Elle jouait la soubrette, alors qu'Élisabeth incarnait Silvia, la jeune première, en plus d'interpréter des extraits de *La mouette*, de Tchekhov. Je ne pus m'empêcher de lui faire remarquer qu'Élisabeth s'était donné le beau rôle. Ma jumelle me toisa :

— Élisabeth dit qu'il n'y a pas de petits rôles.

Si elle croit vraiment qu'il n'y a pas de petits rôles, elle pourrait fort bien jouer la soubrette, pensai-je dans mon « fort » intérieur. Ce qui ne m'empêchait pas d'avoir des papillons dans le ventre juste à imaginer ma jumelle affrontant le public sur une scène. Quand je lui demandai si elle était nerveuse, elle m'expliqua que c'était ce qu'on appelle le *trac,* dans le langage du métier. Selon Élisabeth, il n'y avait que les comédiens médiocres qui ne l'éprouvaient pas. Suivaient toutes sortes d'anecdotes sur des comédiens célèbres qui vomissaient ou s'évanouissaient avant d'entrer en scène, ce qui fut loin de me rassurer.

Elle sécha quelques cours, tellement elle était accaparée par ses répétitions, même celui de Monsieur Monge, c'est te dire. On se ressemblait encore assez pour que je puisse tenir son rôle dans un cours de maths qu'elle détestait particulièrement. Mal lui en prit, car les logarithmes n'étaient pas ma tasse de thé, et je coulai un examen à sa place.

Le soir du récital arriva. Madame Rivière avait usé de ses relations encore influentes dans le monde du théâtre et obtenu du directeur d'une école d'art dramatique qu'il lui prête une jolie salle de cent cinquante places pour l'occasion. Quand j'y entrai, je fus frappée par l'odeur de poussière et de bois qui me rappelait la cave de grand-papa où l'on aimait tellement aller jouer, ma jumelle et moi, quand on étaient petites. Des élèves recrutés par Madame Rivière distribuaient des programmes. J'en pris un, vis le nom de ma jumelle, imprimé noir sur blanc, juste à côté de celui d'Élisabeth. J'éprouvai soudain un vif sentiment de fierté, j'avais envie de crier à tout le monde : c'est ma jumelle, vous allez voir, elle va vous en mettre plein la vue.

Madame Rivière fit son entrée et alla s'asseoir à un fauteuil, au premier rang, en faisant froufrouter sa jupe de soie moirée. Des applaudissements saluèrent son apparition, elle inclina la tête avec la mine faussement modeste d'une diva. La lumière baissa graduellement. Le brouhaha des conversations se transforma en murmures, puis en un silence ponctué de quelques toussotements. Je retenais mon souffle, les mains crispées sur les accoudoirs.

Élisabeth apparut sur la scène, nimbée par la lumière des projecteurs, portant une jupe noire et un chemisier blanc, ses cheveux blonds noués en chignon, son visage figé dans un masque de tragédie. Avant même qu'elle ne prononce un mot, il y eut un murmure dans la salle, comme si le sort de la Mouette était déjà scellé. Elle joua magnifiquement, du moins pour la néophyte que j'étais. À la fin de la scène, quand elle répéta, avec un léger tremblement dans la voix, « je suis une mouette », on n'entendait plus le moindre bruit. Il y eut un flottement, comme si l'émotion se déposait doucement dans le cœur des spectateurs, puis un tonnerre d'applaudissements éclata. Élisabeth, si réservée et austère dans la vie de tous les jours, eut un sourire éblouissant. Un spectateur lui apporta un bouquet de roses. Elle salua avec une aisance de professionnelle.

Je jetai un coup d'œil au programme : dans quelques instants, ce serait à ma jumelle. Mon cœur se mit à battre à tout rompre. Comment allait-elle s'en sortir, après la performance d'Élisabeth Première ? Je l'imaginai dans les coulisses, verte de trac, s'accrochant au rideau pour ne pas tomber par terre. Quand elle entra en scène, il y eut des rires dans la salle. Elle portait une coiffe et un tablier blancs, et tenait un plumeau à la main, ce qui était tout à fait plausible pour une servante du XVIIIe siècle, mais elle avait gardé ses lunettes rondes à la John Lennon. Ça y est, elle est cuite, me dis-je. Loin de se laisser décontenancer par les rires qui fusaient, elle se mit à épousseter vigoureusement, à tel point que de la vraie poussière voleta dans la lumière des projecteurs, ce qui provoqua d'autres rires. Encouragée par la réaction du public, elle fit quelques entrechats. Entre-temps, Élisabeth était entrée en scène. Elle tenta d'attirer l'attention de ma jumelle, mais cette dernière continuait sa contredanse. Élisabeth, furieuse, fut contrainte de faire un « hum hum » sec, ce qui déclencha l'hilarité générale. Ma jumelle réalisa alors que la scène devait commencer, s'inclina comiquement devant Élisabeth, et dit sa première réplique. Élisabeth ravala son dépit et joua la scène avec un enjouement qui charma le public. Quant à ma jumelle, malgré quelques bafouillages et un trou de mémoire, elle se tira très bien d'affaire.

À la fin du récital, je suis allée les voir dans les coulisses. Élisabeth était entourée d'admirateurs. Elle me jeta à peine un regard, comme si elle faisait l'aumône aux pauvres. Ma jumelle était assise dans un coin, pâlotte et triste. Je me suis précipitée vers elle, l'embrassant et la félicitant à qui mieux mieux, ce qui lui a remis un peu de couleur aux joues, mais j'ai senti que quelque chose clochait.

Durant la nuit, j'ai entendu une sorte de reniflement retenu. Je me suis levée et me suis assise sur le lit de ma jumelle.

— Tu pleures ?

Elle renifla sans répondre.

— T'as été très bonne, tout le monde t'a aimée.

— Pas tout le monde.

Silence.

— Élisabeth m'a dit que j'avais aucun talent.

J'étais indignée.

— Elle t'a dit ça parce que t'étais trop bonne, justement.

Elle secoua la tête. Ses joues étaient striées de larmes, l'oreiller était mouillé.

— Elle m'a traitée d'histrion.

Histrion... Ce mot me disait quelque chose, mais je n'arrivais plus à me rappeler la définition. Je suis allée consulter le dictionnaire. *Mauvais acteur*.

— Le théâtre est une chose sérieuse, j'ai fait le clown pour me faire remarquer. J'étais pas digne de monter sur les planches.

J'entendais la voix d'Élisabeth Première derrière chaque mot.

— Je retournerai plus jamais à l'atelier de Madame Rivière.

Elle a tourné sa tête contre le mur. Je me suis recouchée, le cœur gros, impuissante à la consoler. Il avait suffi d'un seul décret d'Élisabeth pour qu'elle renonce à son rêve de devenir comédienne.

Le lendemain, au cours de Monsieur Monge, ma jumelle fit un signe de la main et sourit timidement à Élisabeth, qui venait d'entrer dans la classe. Élisabeth l'ignora complètement et passa à côté d'elle sans la saluer, le visage glacial. Ma jumelle se referma sur elle-même, sa peine logée en elle comme une perle noire, et ne réagit même pas quand Monsieur Monge la félicita sur sa composition française.

Les choses ne s'arrangèrent pas. Élisabeth cessa complètement tout contact avec ma jumelle. Elle l'ignora au point où, lorsqu'elles se croisaient dans un corridor ou à la cafétéria, son regard semblait passer à travers elle, comme si elle n'avait pas existé. Elle ne répondit pas à ses coups de téléphone, ni à une lettre que je lui avais déconseillé d'écrire mais qu'elle écrivit tout de même, dans laquelle elle tentait de réparer des pots qu'elle n'avait même pas cassés. Ma jumelle attendit anxieusement une réponse. Chaque matin, elle allait chercher le courrier fébrilement. Rien. C'est à partir de ce moment qu'elle commença à dépérir.

Trahisons

Ma jumelle s'était murée dans le silence. Elle commença même à manquer l'école, prétextant qu'elle était trop faible pour se lever. Elle se traînait comme une âme en peine, refusait de manger, s'étiolait de jour en jour. Même les visites de nos copines ne la déridaient pas. J'étais convaincue que la cause de son état était Élisabeth. Je me demandais s'il y avait un remède à cette peine d'amitié. Maman, plus pragmatique, après une semaine de ce régime, obligea ma jumelle à l'accompagner chez le médecin.

Le diagnostic tomba comme un couperet : ma jumelle avait la mononucléose, la maladie du baiser, ainsi que la nommaient les filles averties, à l'école. Ma jumelle était donc réellement malade, une maladie longue, qui comportait des risques de rechute si elle ne se soignait pas convenablement. Dans l'état d'esprit où elle était, je craignais qu'elle n'utilise sa mononucléose pour se laisser dépérir à petit feu. Tels des pompiers volontaires qui se munissent de seaux pour combattre vaillamment un incendie trop dévastateur pour leurs moyens, nous allions tour à tour à son chevet. Josiane lui apporta une pile de Bob Morane, Lucie un gâteau marbré au chocolat Duncan Hines qu'elle réussit à rater (il était aplati et plein de grumeaux), mais c'était de bon cœur et ma jumelle sembla l'apprécier. Margot tenta de lui apprendre des choses utiles, comme siffler avec un brin d'herbe ou enlever son soutien-gorge en gardant son chandail. Avec ses économies, Fanfan avait acheté une guitare et jouait des airs tout en chantant (faux, comme papa, mais c'était peut-être à cause de sa voix qui muait). Quant à moi, je lui apportais des notes de cours et des livres à l'étude afin qu'elle ne prenne pas trop de retard dans son année scolaire.

Maman avait trouvé un boulot de traductrice à temps complet. Elle revenait vers les cinq heures et son premier geste était d'aller voir ma jumelle. Elle se sentait très coupable, même si elle n'était pour rien dans cette maladie. Elle proposa à ma jumelle de déménager temporairement dans le bureau de Jacques, le temps qu'elle guérisse, mais elle refusa. Jacques fit son effort de guerre et alla la voir de temps en temps, se tenant debout, loin du lit, comme s'il avait peur d'être contaminé. Il avait horreur de la maladie, et elle l'obligeait à assumer une responsabilité dont il ne voulait pas. Il aurait souhaité ne connaître que le côté lisse, sans aspérités, sans faiblesses, des êtres qui l'entouraient.

Pendant un cours de chimie, alors que je prenais fébrilement des notes pour les apporter à ma jumelle, la porte s'est entrouverte, et j'ai vu Élisabeth sur le seuil. À ma grande surprise, elle me fit signe qu'elle voulait me parler. Intriguée, je sortis la rejoindre après le cours. J'essayai de prendre une mine dégagée et froide, préparant une réplique cinglante que je n'eus pas le temps de livrer :

— J'ai deux billets pour *La Mouette,* au théâtre Gesu. Veux-tu m'accompagner ?

Je m'attendais à tout, sauf à cette invitation. Devant mon hésitation, elle poursuivit sèchement :

— Si ça te tente pas d'y aller, je vais trouver quelqu'un d'autre.

Je ne sais pas ce qui m'a pris. Était-ce l'effet de surprise ? L'envie irrésistible d'aller voir une pièce de théâtre dans une vraie salle pour la première fois ? La lâcheté pure et simple ? Crois-le ou non, j'ai accepté.

Une fois passée l'excitation du moment, j'éprouvai un vif sentiment de honte. Comment avais-je pu accepter l'invitation d'Élisabeth, malgré le fait qu'elle ait brutalement rompu son amitié avec ma jumelle, et ne daignait jamais demander des nouvelles d'elle ? Bourrelée de remords, incapable de voir ma jumelle tout de suite (j'étais convaincue qu'avec sa perspicacité, elle lirait ma trahison sur mon front), j'allai voir maman et lui exposai mon problème, ponctuant mon récit de « elle me le pardonnera jamais, je vais tout annuler »… Maman dédramatisa la situation, comme elle le faisait pour tout :

— Parle à ta sœur. Je suis certaine qu'elle va comprendre.

Je la trouvai bien optimiste. La mort dans l'âme, je retournai à notre appartement. Fanfan était dans sa chambre et jouait *Let It Be* à la guitare. Ma jumelle était étendue sur son lit, enroulée dans ses couvertures, un verre de lait à moitié vide sur sa table de chevet et des livres ouverts, sur le lit, près d'elle. J'en ai enlevé quelques-uns pour faire un peu de place et je me suis assise à côté d'elle. Ses lunettes rondes étaient un peu croches sur son nez, Fanfan ayant marché dessus par inadvertance. Elle était si pâle qu'on voyait les veines bleues en filigrane sous sa peau. Elle s'était coupé la frange elle-même, un côté était plus court que l'autre. Elle continua à lire sans lever la tête. Après un moment, prenant mon courage à deux mains, je fus sur le point de parler lorsqu'elle dit, l'air indifférent, sans me regarder :

— Tu peux y aller si tu veux.

Mon cœur coula dans ma poitrine, comme un sous-marin abattu dans le jeu de la bataille navale. Je crus soudain que ma jumelle avait un pouvoir surnaturel. Elle continua à lire comme si de rien n'était.

— Comment… comment t'as fait pour…

— Élisabeth a appelé. Elle voulait confirmer, pour demain soir.

Je fus soulagée un moment devant la simplicité de l'explication. Au moins, ma jumelle ne détenait pas un pouvoir de télépathie surnaturel. Mais l'anxiété revint au galop :

— Ça te… ça te dérange pas trop que…

Elle me coupa avec impatience.

— C'est fatigant, ta manie de ne pas finir tes phrases. Sors avec elle tant que tu voudras, ça me fait pas un pli.

Je m'attardai encore un peu, espérant qu'elle ajouterait un mot, une phrase pour adoucir mon malaise. Elle n'en fit rien. Je lui donnai mes notes du cours de chimie, pris le téléphone et m'installai sur le balcon pour appeler Élisabeth discrètement. J'entendis la voix de ma jumelle :

— Tu peux l'appeler devant moi, je m'en fous !

Élisabeth m'avait donné rendez-vous dans le hall du théâtre à dix-neuf heures quarante-cinq. Je ne devais arriver en retard sous aucun prétexte, martela-t-elle, car les portes du théâtre fermaient à vingt heures précises et ne rouvraient qu'à l'entracte. La distraction était une seconde nature chez moi, à tel point que j'en suis venue à me demander si vivre en perpétuel décalage n'était pas une façon de me protéger du monde. Je cherchais régulièrement mes lunettes alors qu'elles étaient sur mon nez, j'allais à un rendez-vous une semaine à l'avance ou me trompais d'endroit, j'oubliais de descendre à l'arrêt d'autobus prévu et m'en rendais compte au terminus. Parfois, ma distraction avait un effet domino qui me mettait dans des situations si embarrassantes, que je passais parfois pour une malade mentale. Ce fut le cas ce soir-là. Pourtant, j'avais pris mes précautions : j'avais noté soigneusement l'adresse du théâtre et l'itinéraire de l'autobus. Mais comme il y avait deux autobus qui passaient par l'arrêt, j'ai bien sûr pris le mauvais. Je me suis rendu compte de mon erreur vingt minutes plus tard. Je suis descendue, mais je ne savais plus où j'étais. J'ai décidé de prendre un taxi, mais j'avais oublié l'adresse du théâtre à la maison et le chauffeur, qui ne parlait pas un mot de français, ne connaissait pas le Gesu.

— *You mean Jesus ?*

— C'est un théâtre… *Theater*…

— *Where ? On what street ?*

— J'ai oublié l'adresse.

— *What ?*

Ironie du sort, je n'arrivais plus à me rappeler le verbe *oublié* en anglais. J'avais des sueurs froides, les nerfs en boule.

— *I don't*… rappelé… *you know*… rappelé ?

— *Wrapelee ? What kind of place is that ?*

— *Forget ! I forget !* criai-je.

Le compteur continuait à tourner. Je constatai avec désespoir que bientôt, je n'aurais plus assez d'argent pour payer la course. Je demandai au chauffeur d'arrêter, je lui donnai tout ce que j'avais. Je demandai à plusieurs passants où était le théâtre Gesu, personne ne le savait. Il était dix-neuf heures cinquante. Un bon samaritain m'a sauvée, m'informant que le théâtre n'était qu'à trois coins de rue, vers le sud-est. Le *sud-est*… Pour moi, c'était du chinois. Il a fallu qu'il me montre le sud-est du doigt, avec un regard où perçait de la pitié. J'ai couru jusqu'à destination, et j'étais si soulagée en voyant la marquise du théâtre que j'ai traversé la rue sans regarder, passant à un cheveu de finir mes jours sous les roues d'une voiture.

Il était dix-neuf heures cinquante-sept. J'étais en nage, à bout de souffle, l'air dépenaillé, mais j'étais là ! Élisabeth m'attendait, pâle de fureur.

— Je t'avais dit dix-neuf heures quarante-cinq ! Je déteste attendre.

Je renonçai aux explications, qui n'auraient fait qu'empirer mon cas. On est entrées dans la salle. J'étais si épuisée que tout était nimbé d'une sorte de brume. On s'est assises, Élisabeth m'a tendu froidement un programme. J'y jetai un coup d'œil. Dyne Mousseau interprétait le rôle titre.

— C'est la meilleure actrice de sa génération, me chuchota Élisabeth.

Une colonne me bloquait partiellement la vue, ce qui m'obligeait à pencher la tête d'un côté pour voir toute la scène, mais déjà, l'odeur de bois et de poussière, la lumière tamisée qui nous enrobait d'un halo ocre et le rideau rouge qui cachait la scène m'envoûtaient. Les coups de théâtre résonnèrent, le visage d'Élisabeth se tendit vers la scène comme si elle s'apprêtait à y monter elle-même, et disparut graduellement dans le noir.

De temps en temps, je sentais la main d'Élisabeth qui me serrait le bras sans qu'elle s'en rende compte. Elle bougeait les lèvres, récitait le texte en même temps que « la Mouette », les yeux remplis de larmes. Il y avait, sur ses traits coupés au couteau, une étrange douceur qui la rendait humaine et émouvante. Je compris la force des sentiments que ma jumelle avait éprouvés pour elle et mesurai l'étendue de sa peine.

À la fin de la soirée, Élisabeth m'a simplement dit, je vais te rappeler. Je n'ai pas eu le courage de lui avouer que je n'avais plus d'argent, j'ai donc marché jusqu'à la maison sans trop d'encombres, à part une voiture qui s'est arrêtée à ma hauteur et dont le conducteur, un Espagnol basané et timide, m'a demandé en bégayant si j'avais besoin d'un *lift*. Forte de mon expérience avec le type aux lunettes noires, j'ai pris mes jambes à mon cou et j'ai couru jusqu'à la maison sans m'arrêter pour souffler, comme si j'avais eu le diable à mes trousses, même si c'était un diable bègue et timoré.

Illusions perdues

Avec Élisabeth Première, ce fut le début d'une amitié que je savais inégale, dans la mesure où elle dépendait de sa volonté et non de la mienne. C'est elle qui me téléphonait, qui décidait de notre programme, qui m'intimait de lire tel ou tel livre. Je connaissais la plupart des écrivains auxquels elle voulait m'initier, mais je n'en disais rien, non par modestie, mais par un désir veule de lui plaire. D'une certaine façon, cette inégalité des *rapports de force*, comme aurait dit Jacques, faisait mon affaire. Je trouvais reposant de n'avoir à décider de rien. Le fait qu'Élisabeth décrète nos rencontres allégeait ma culpabilité. Je ne parlais jamais d'elle devant ma jumelle, et elle n'y faisait jamais allusion, mais je savais que la peine lui rongeait lentement le cœur. Sentir sa souffrance à distance, en deviner les méandres, était pire que de supporter ses sautes d'humeur. Je savais quelle en était la cause profonde, et le fait de ne pouvoir en parler rendait notre relation encore plus compliquée, comme si on avait perdu cette faculté gémellaire de tout nous dire sans prononcer un mot. Ma seule excuse, et ce n'en est pas vraiment une, c'était ce besoin de symbiose qui me poussait à vivre quelque chose qu'elle avait vécu, à comprendre par procuration les sentiments qu'elle avait éprouvés pour Élisabeth.

Je fis le vide autour de moi. Josiane me traitait avec une indulgence distante, Margot me souriait avec une trace de reproche dans ses grands yeux bleus, Lucie évitait de me regarder, pour ne pas me montrer sa désapprobation. Je leur en voulais de m'en vouloir, ce qui eut pour effet de me jeter encore plus dans cette amitié délétère et exaltante.

*

Un jour, j'eus l'insigne honneur d'être invitée chez Élisabeth. Personne, à ce jour, n'avait mis le pied dans son antre. Élisabeth ne parlait jamais de sa famille, je ne savais même pas si elle avait des frères ou des sœurs. Je l'imaginais, Dieu sait pourquoi, vivant dans une grande maison sombre et silencieuse, avec des draperies toujours fermées, un ameublement massif et cossu, des parents austères, une servante en uniforme noir et tablier blanc, polie et terrorisée, qui servait les repas autour d'une immense table de réfectoire sur laquelle trônaient deux chandeliers en étain.

Je mis dans un petit sac de voyage des vêtements de rechange. Ma jumelle, étendue sur son lit, le teint cireux à cause de sa maladie, me regardait faire, intriguée.

— Tu dors pas chez nous, ce soir ? demanda-t-elle, l'air de ne pas y toucher.

— Non.

Ma réponse laconique lui mit la puce à l'oreille. Elle pâlit très légèrement. Monsieur Monge m'avait reproché d'avoir écrit, dans une de mes compositions, « elle pâlit légèrement », prétendant qu'il était tout à fait improbable qu'un être humain pâlisse, encore moins légèrement ; c'était donc, à son avis, une expression inexacte, en plus d'être banale, mais je ne sais comment décrire autrement la décoloration subtile qui avait rendu son visage un peu plus translucide.

— Tu vas chez elle, dit-elle, un chat dans la gorge.

Elle fit un gros effort pour se lever et sortit de la chambre, m'épargnant une réponse embarrassante. La culpabilité me sauta dessus, comme le rapace que j'avais vu dans notre jardin, à travers la fenêtre, quand j'étais petite, et qui s'était jeté sur une mésange perchée à la mangeoire, ne laissant sur la neige qu'une plume et quelques gouttes de sang. Ça ne m'empêcha pas d'avoir hâte de lever enfin le voile sur la vie mystérieuse d'Élisabeth Première.

Te dire que j'ai été déçue serait exagéré. Ce fut plutôt un étonnement plat, sans tambour ni trompette. La grande maison sombre était en réalité un immeuble à logements moderne en briques blanches déjà abîmées par les intempéries, comme il s'en construisait des tonnes à cette époque. Le hall d'entrée sentait le chou. L'appartement où vivait Élisabeth était peint en un blanc jauni par le tabac, avec des meubles en chrome et en faux cuir orange brûlé et des rideaux en macramé assortis. Les parents d'Élisabeth étaient réservés et plutôt gentils, du moins me sembla-t-il au moment de notre rencontre. Et il n'y avait pas de servante polie et terrorisée pour nous servir le repas.

Élisabeth était distante avec ses parents, comme un patron poli mais froid avec ses employés, pour éviter toute familiarité désagréable. Elle s'excusa à plusieurs reprises de la banalité du souper (des cigares au chou pourtant très mangeables), reprenait son père lorsqu'il faisait une faute de français. Je devinai qu'elle avait honte de ses parents.

Après le souper, elle se fit couler un bain, le prit, puis me tendit une serviette en m'invitant à le prendre à mon tour, me faisant comprendre que c'était un privilège de partager la même eau qu'elle. Voyant mon hésitation, elle me jeta un regard froissé, comme si j'avais refusé une offrande :

— De toute façon, j'étais pas sale.

J'entrai donc avec réticence dans l'eau déjà tiède, surveillant avec anxiété l'anneau blanchâtre qui s'était formé autour de la baignoire. Ça va sûrement te paraître étrange, mais après un moment, quand je respirai le parfum du savon à la lavande encore humide dont elle s'était servi, j'eus le sentiment d'entrer dans son intimité, comme si on s'était connues il y a très longtemps, dans un autre monde.

On partagea le même lit. Après avoir éteint sa lampe de chevet, elle me parla longuement de ses rêves de théâtre. Elle allait devenir une grande comédienne, sortir de la médiocrité de son milieu, tenir les rênes de son destin.

— La vie est banale, me dit-elle à mi-voix. La seule façon d'en sortir, c'est d'entrer dans la peau d'un personnage. La vraie illusion, c'est de croire que la vie est vraie.

Je l'écoutais avec fascination et curiosité. Je ne pensais pas comme elle que la vie était banale (tu m'avais dit une fois que c'était le regard qu'on posait sur elle qui l'était), mais j'aimais entendre sa voix chaude, vibrante même dans le chuchotement, qui se forgeait un destin fabuleux habité par des personnages plus grands que nature. Je la revoyais sur la scène, son visage âpre devenu beau sous les traits de « la Mouette ». J'étais frappée par son désir profond de recomposer le réel sur une scène, la joie de s'oublier soi-même. Élisabeth, dont je croyais percer le mystère en la voyant dans son cadre familier, m'apparaissait aussi mystérieuse qu'avant.

Elle m'invita chez elle à quelques reprises et se permit même de pleurer devant moi en parlant de sa mère, qui avait dû sacrifier une carrière prometteuse de comédienne parce que son père refusait qu'elle s'exhibe en public. Enfin, c'est ce qu'elle me raconta, mais son père, peu loquace, n'avait pas les allures d'un bigot ; plutôt celle, modeste, d'un commis voyageur.

— Je déteste mon père. Parfois, je voudrais qu'il meure.

J'aimais ses déclarations passionnées, car je savais que les paroles ne tuent pas, du moins je le croyais alors. Il m'était arrivé de souhaiter la mort de papa, quand il avait trop bu ou en faisait voir de toutes les couleurs à maman, et il n'était pas mort, heureusement.

Dans un moment de confiance et d'égarement, je confiai à Élisabeth mes sentiments pour le professeur Monge ; à quel point je l'admirais, comme j'aimais son regard ironique, ses mains aux bouts carrés, sa bouche charnue aux coins un peu tombants, les effluves d'eau de Cologne et de Gitane que je respirais avec un délice discret quand il passait à côté de moi. Elle me regarda avec une amertume teintée de mépris, comme si j'étais trop jeune et naïve pour comprendre les arcanes de l'amour, ou même pour éprouver de véritables sentiments amoureux. On avait le même âge, à quelques mois près, mais Élisabeth s'était fabriqué une aura d'expérience et de maturité qui faisait illusion. Elle m'a dit, avec un vibrato âpre dans la voix, que Monge était un être en chair et en os, que mes sentiments pour lui étaient une fabrication de petite fille, un leurre bâti sur une illusion romantique, et non sur la vraie personne. J'eus l'impression fugace qu'elle savait de quoi elle parlait, qu'elle connaissait Monge autrement que comme un professeur compétent et goguenard jetant son attaché-case sur son pupitre, devant une classe de filles énamourées. J'osai un commentaire en ce sens. Elle me jeta un regard si courroucé, si plein de fierté blessée, que je n'osai poursuivre.

— Est-ce que quelqu'un t'en a parlé ? dit-elle, la voix blanche.

— Parlé de quoi ?

Elle me regarda dans les yeux pour s'assurer que je disais la vérité, puis me fit jurer de ne jamais, au grand jamais, répéter à qui que ce soit, même pas à ma jumelle, ce qu'elle considérait comme son secret le mieux gardé. Je jurai tout ce qu'elle voulait, de plus en plus intriguée. Je m'excuse de te raconter ces histoires de petites filles qui se prennent trop au sérieux ; ça doit te paraître si dérisoire, mais c'est ma vie, pour le moment, et j'ai tant besoin de la partager avec toi, ne serait-ce que pour te garder un peu plus longtemps avec moi, au moins dans mes pensées.

Un soir, après l'école, elle attendait l'autobus. Monge est passé en voiture, s'est arrêté à sa hauteur et lui a offert d'aller la reconduire chez elle. Elle a accepté, il s'est immobilisé à quelques rues de son immeuble, en face d'un parc, l'a embrassée, puis l'a serrée très fort contre lui, trop fort, elle avait du mal à respirer, m'a-t-elle raconté. L'odeur de Gitane était étouffante. Elle fut prise de panique et réussit à sortir de la voiture. Elle a couru jusque chez elle, s'est rincé la bouche avec du Listerine, sans parvenir à se débarrasser du goût de Gitane, ni de la honte qu'elle avait ressentie.

Sa confidence me laissa sans voix. Je n'arrivais pas à concilier le professeur Monge que je connaissais, son sourire ironique, ses manières désinvoltes et son amour de la littérature avec ce Mister Hyde, créature imprévisible et inquiétante qui embrasse une élève contre son gré et la serre trop fort contre lui. Mon trouble ne fit que s'accentuer lorsque je revis Monge quelques jours plus tard, en classe. Rien, dans ses manières, dans son attitude, ne laissait présager qu'il pût agir de la sorte, si bien que je me demandai si Élisabeth n'avait pas tout inventé. En même temps, la confiance qu'elle m'avait témoignée et ses aveux qui semblaient si sincères m'avaient touchée vivement. J'ai cru que notre amitié serait éternelle et que ses confidences l'avaient scellée à jamais.

Quelques jours plus tard, toutes mes illusions s'effondrèrent. J'étais arrivée l'une des premières à la classe d'histoire, j'avais réservé un pupitre pour Élisabeth, à côté du mien. Elle est entrée dans la salle, je lui ai souri en désignant le pupitre, elle est passée à côté de moi sans un regard et est allée s'asseoir à côté d'une étudiante que je connaissais à peine. Le professeur arriva en retard et nous parla du commerce des fourrures en Nouvelle-France ; ses paroles me parvenaient avec un léger décalage. Je n'éprouvais plus rien, comme si la réalité de cet abandon n'était pas encore parvenue à mon cerveau.

Après le cours, Élisabeth sortit sans me saluer, la main posée familièrement sur l'épaule de ma rivale. Je restai assise un moment. J'avais peur qu'en me levant trop vite, mon corps ne tienne pas en un seul morceau et se répande par terre. Puis je me levai enfin, et rien de catastrophique n'arriva, pas de pleurs, ni de grincements de dents, ni de corps en morceaux; juste une sorte de colère contenue qui fit battre mes tempes et m'étourdit légèrement. Je compris, en le vivant moi-même, à quel point ma jumelle avait dû se sentir humiliée, combien elle avait souffert à cause de cette brisure irrémédiable, de cette froideur méprisante.

J'ai pris l'autobus toute seule pour rentrer à la maison. J'avais oublié ma clé, j'ai sonné, pas de réponse. J'ai sonné à l'appartement de maman, rien. Intriguée, j'ai tourné la poignée de la porte, elle n'était pas verrouillée. Je me suis avancée dans le vestibule :

— Maman ?

Pas de réponse. Inquiète, je continuai à avancer. Puis je la vis. Elle était assise sur un canapé, dans le salon, la tête appuyée sur un coussin, les yeux fermés. Une bouteille de vodka entamée trônait sur la table à café, avec un verre vide à côté. Je m'approchai doucement d'elle. Elle ouvrit les yeux, me fit un sourire si triste que j'eus envie de pleurer. Elle me dit, d'une voix atone :

— J'ai essayé de me soûler, mais je suis pas capable.

Je me suis assise à côté d'elle, je lui ai pris la main, qui était glacée. Pour la première fois de ma vie, j'ai vu un pli amer de chaque côté de sa bouche. Elle a poursuivi de sa même voix atone :

— Jacques est parti. Il est retourné vivre avec sa femme.

Je suis restée avec maman, tenant toujours sa main dans la mienne, jusqu'à ce qu'elle s'endorme.

Puis, je suis rentrée dans notre appartement. Ma jumelle dormait, elle avait encore oublié ses lunettes sur son nez. Un amour immense me gonfla le cœur, je fis un effort pour ne pas l'embrasser – je ne voulais pas la réveiller –, mais sans ouvrir les yeux, elle me dit, doucement :

— Je sais, pour Jacques. C'est un écœurant de la pire espèce.

À partir de ce moment, Fanfan, ma jumelle et moi vouâmes une haine sans merci à Jacques. Maman avait encore la force de lui trouver des excuses, comme si elle tentait de sauver les épaves d'un amour qu'elle savait condamné. Chaque soir, nous dressions le réquisitoire de Jacques : ce salaud avait réussi à convaincre maman de louer deux appartements séparés, elle avait signé les deux baux à son nom, et il n'avait rien trouvé de mieux que de l'abandonner pour, comble de lâcheté, retourner avec son ex-femme, dont il ne s'était pas gêné pour dire pis que pendre devant nous.

Pour être honnête avec toi, ce n'était pas seulement le fait qu'il ait abandonné maman qui nous enrageait, mais le fait qu'il nous ait abandonnés nous aussi, alors que nous commencions à croire à notre nouvelle vie de famille. Mais nous évitions de parler de cette seconde trahison devant maman, connaissant sa propension à la culpabilité (même lorsqu'elle n'avait rien à se reprocher). Papa, qui vint nous rendre visite quelque temps après la fuite de Jacques, ne put s'empêcher de s'exclamer :

— Quel lâche !

Jacques avait laissé tous ses meubles et ses livres, sous le prétexte fallacieux de ne pas vider l'appartement et obliger ainsi maman à racheter des meubles. Mais au fond, c'était pour ne pas avoir à affronter maman, son regard franc et loyal, dénué de tout sentiment de vengeance ; et j'ose croire pour éviter les trois petits juges qui l'attendaient avec une brique et un fanal.

Maman reprenait vie peu à peu, son sourire revenait, fragile mais rassurant. Un jour, elle décida de mettre tous les livres de Jacques dans des boîtes et de placer ses meubles à la consigne pour libérer son bureau et en faire une chambre pour Fanfan. Ce jour-là, je compris que maman était guérie ou, à tout le moins, que la convalescence était presque terminée. Fanfan s'installa triomphalement dans l'ancien bureau, douce vengeance des humiliations subies soir après soir sous le règne de Jacques et de la perte de ses cheveux, qu'il ne lui avait pas pardonnée, même s'ils avaient repoussé depuis belle lurette et que Fanfan avait maintenant l'air d'un angelot cornu.

Répétitions

Au début du printemps, ma jumelle se portait beaucoup mieux. Elle avait lu une tonne de livres sur l'alimentation que j'avais empruntés pour elle à la bibliothèque et suivait un régime spécial où dominaient les protéines, pour faire baisser le compte de globules blancs formés dans les ganglions lymphatiques (enfin, c'est ce que j'ai cru comprendre). Elle passait ses journées à dormir et, lorsqu'elle s'éveillait, à étudier pour pouvoir passer ses examens durant l'été, avant la reprise des classes.

Un matin, je trouvai une pile de pièces de théâtre, par terre, près de son lit. Elle me dit, l'air de ne pas y toucher :

— Qu'est-ce que tu dirais qu'on monte *Les femmes savantes* ?

Sur le coup, j'ai pensé que la maladie avait affecté son cerveau.

— Avec quel argent ?

Comme si elle avait deviné ma question, elle m'a répondu qu'il y avait une enveloppe pour les projets spéciaux, à l'école et qu'on pourrait faire une demande. La distribution serait composée de Josiane, Margot, Lucie, elle et moi.

— À part toi, on sait pas jouer, objectai-je.

— Ça s'apprend.

— Il y a des personnages d'hommes.

— On les jouera. Dans le temps de papa, les hommes jouaient les rôles de femmes. Pourquoi pas l'inverse ?

— Et les costumes ?

— On les louera chez Malabar.

— Et la salle ?

— Je me suis renseignée. Il y a une salle de cent vingt-cinq places à l'école Saint-Sacrement. Ils la louent à des amateurs. Pour les décors, t'es bonne en dessin, tu pourrais peindre des panneaux en trompe-l'œil.

Je la regardai, médusée par son sens de l'organisation et par ses illusions sur mes talents en dessin. Mais elle était si enthousiaste, que je fus prête à balayer mes doutes.

Josiane, Lucie et Margot acceptèrent de se lancer dans l'aventure. Le bruit courut à l'école que nous allions mettre en scène un Molière. Après le cours de Monsieur Monge, Élisabeth s'approcha de moi, arborant une mine froide.

— Il paraît que ta sœur veut monter *Les femmes savantes*.

J'acquiesçai, étonnée qu'elle s'intéresse à notre entreprise. Élisabeth me fixa juste au-dessus des yeux, comme si elle ne me voyait pas.

— Molière, c'est trop gros pour elle. Elle va se casser la gueule.

Elle s'éloigna avant que je puisse penser à une réplique cinglante. J'avais l'« esprit de l'escalier », comme maman, la bonne réplique me venait toujours le lendemain. Ma jumelle, qui avait vu le manège d'Élisabeth, s'approcha de moi à son tour.

— Qu'est-ce qu'elle t'a dit ? Elle t'a parlé de notre projet ?

Je mentis pour l'épargner.

— Non.

— Je te lâcherai pas jusqu'à ce que tu me le dises.

J'étais convaincue qu'elle tiendrait parole.

— Elle a dit que la pièce est trop difficile pour toi, tu vas te casser la gueule.

Contre toute attente, ma jumelle prit la remarque d'Élisabeth avec un grain de sel :

— Qui vivra verra. Première lecture ce soir à huit heures. Avertis les autres.

On demanda une somme de cent cinquante dollars à l'école pour les projets parascolaires. C'est sœur Brichot, une religieuse qui avait adopté un costume civil, qui était responsable de la sélection des projets. Elle ne comprenait pas pourquoi nous avions choisi un auteur français (si célèbre fût-il), au lieu d'un auteur bien de chez nous, comme Félix Leclerc, « un grrrand powette », dit-elle de sa voix gutturale. Ma jumelle lui répondit avec une franchise qui faillit nous coûter notre subvention :

— C'est peut-être un grand *powette*, mais son théâtre est pourri.

Sœur Brichot était indignée :

— Le Québec peut bien aller à vau-l'eau, maugréa-t-elle.

Je pris alors la défense de notre projet, alléguant que Molière était un fort bon outil pédagogique, tant pour la maîtrise des vers que pour la compréhension du théâtre classique, et compléterait à merveille l'excellent cours de latin que donnait sœur Brichot.

Il semble que mes flagorneries aient atteint leur but, car on a obtenu notre subvention. Pour compléter le financement de la production, nous avons demandé une contribution à papa (il a accepté en rechignant, mais au fond, il était fier de notre entreprise), et nous avons volé du lilas chez nos voisins pour les vendre cinquante sous le bouquet, ce qui nous a permis de récolter la somme colossale de quarante dollars, et les hauts cris d'une propriétaire qui nous avait prises sur le fait.

Les répétitions commencèrent. On y consacrait trois soirs par semaine. Ma jumelle déployait des trésors de patience pour nous diriger.

— Tu chantes, me dit-elle.

Je la regardai sans comprendre. Elle fit un effort pour ne pas perdre patience.

— Tu manques de naturel. N'essaie pas de faire des effets avec ta voix, récite simplement ton texte.

On se laissait faire docilement, puisqu'on n'avait pas suivi de cours chez Madame Rivière comme elle, et on reconnaissait sans peine sa supériorité dans le domaine. Malgré notre bonne volonté, on avait beaucoup de mal à apprivoiser les vers du grand homme. Lucie était régulièrement prise de fous rires, Josiane ne pouvait pas toujours assister aux répétitions parce qu'elle devait donner un coup de main à sa mère, qui tenait épicerie, et Margot avait parfois des rendez-vous sur lesquels elle maintenait la plus grande discrétion. Je me doutais bien que c'était avec des gars, vu que je l'avais surprise en train de se mettre du rouge à lèvres et du *blush* avant de quitter la répétition, le genre d'artifices qu'on n'emploie pas pour aller chez le dentiste. Devant nos piètres performances, ma jumelle commençait à se demander si elle n'avait pas vu trop grand, et même, si Élisabeth avait raison de lui prédire un échec.

Une rencontre dans les Hébrides

Le samedi suivant, ma jumelle et moi avons visité la salle de théâtre de l'école Saint-Sacrement. On entendit des voix.

— Dans les Z, les Hébrides ? Ah ! bien, je te crois, que tu n'as pas pu trouver.

— Quoi ? C'est pas dans les Z ?

On s'est approchées de la scène, prenant appui sur les dossiers des fauteuils pour ne pas trébucher dans l'obscurité. Un jeune homme au front large et au regard perçant était assis derrière un vieux pupitre bancal, sous l'éclairage blafard de projecteurs suspendus à une herse. Une fille mince aux longs cheveux noirs et aux ongles rouges, debout en face de lui, lui donnait la réplique :

— Il demande si c'est pas dans les Z.

— C'est dans quoi, alors ?

— Ébraser, Èbre, Ébrécher… C'est dans les E, voyons !

C'est le moment que choisit ma jumelle pour trébucher. Elle s'étala de tout son long dans l'allée. Le jeune homme se tourna brusquement en direction du bruit, furieux.

— Qui est là ?

Ma jumelle se releva, piteuse. Je voulus l'aider, mais elle me repoussa d'un geste impatient. Je m'avançai timidement vers la scène :

— Excusez-nous. On voulait pas vous déranger.

— Qu'est-ce que vous faites ici ? Vous ne voyez pas qu'on est en train de répéter ?

J'aurais voulu être six pieds sous terre.

— On nous a donné la permission de visiter la salle.

Il s'est radouci.

— Vous faites du théâtre ?

Ma jumelle s'est avancée à son tour. Elle l'a regardé avec son air à la fois timide et frondeur.

— On va monter *Les femmes savantes*.

Il a poussé un petit sifflement.

— Vous n'avez pas froid aux yeux.

Puis il a ajouté, avec une ironie gentille :

— Bon courage !

Il s'est tourné vers la fille aux ongles rouges et lui a fait signe de poursuivre. Ma jumelle a mis ses petits poings sur ses hanches.

— Vous répétez *On purge bébé* de Feydeau ? demanda-t-elle.

Il l'a regardée, surpris.

— Oui.

— Bon courage !

On est sorties de la salle, rouges comme des tomates, à la fois mortifiées et excitées, comme lorsqu'on vient de chaparder des bonbons à un sou et que l'on sort du magasin les mains dans les poches pour ne pas se faire prendre. J'avais le sentiment qu'en observant les deux acteurs à leur insu, nous leur avions volé un moment de grâce. Plus tard, on a su que le jeune homme au front large et au regard perçant s'appelait Vincent et qu'il était le fils de Georges Kaufman, un grand acteur d'origine juive française qui, selon la légende, était aussi devin à ses heures et possédait une boule de cristal.

*

On a continué à répéter avec une ardeur redoublée. Ma jumelle exigeait maintenant plusieurs heures de répétition chaque soir, sans compter les fins de semaine. Josiane intervenait parfois avec une exaspération contenue.

— On a assez travaillé. C'est juste du théâtre.

Ma jumelle se lançait alors dans une diatribe enflammée sur les exigences du théâtre, la nécessité de s'y investir complètement, l'oubli de soi pour mieux habiter le personnage, etc.

Josiane poussait un soupir résigné. Un midi, elle me prit à part, à la cafétéria de l'école :

— Elle commence à parler comme Élisabeth. Un vrai tyran.

Ce n'était pas faux, mais je sentais que, pour ma jumelle, imiter Élisabeth était une façon de s'en affranchir.

On demanda la permission à maman d'emprunter quelques meubles pour notre décor. Elle refusa d'abord, mais ne résista pas longtemps à nos supplications. On réquisitionna donc un guéridon, une table à café, un vieux fauteuil, des briques pour fabriquer un faux âtre qui serait situé entre deux bibliothèques en trompe-l'œil que j'étais en train de dessiner sur un grand rouleau de papier : le vrai à côté du faux, pour que le faux ait l'air plus vrai.

Ne manquaient plus que les costumes. Nous sommes allées au magasin de location Malabar. Perruques blanches, costumes moirés à jabot, robes en soie bleu pastel ou rose tendre munies d'immenses crinolines à cerceaux, chapeaux à plumes, boas chatoyants, tous ces trésors un peu défraîchis nous ravissaient.

En louant la salle de théâtre, la direction nous avait accordé, en plus des deux représentations, quatre répétitions sur scène, en comptant la générale. On a donc pu faire une première lecture avec la mise en place, et en costumes. Nous commencions à sentir l'excitation de la première, et juste d'imaginer les murmures des spectateurs, dans la salle, nous plongeait dans une délicieuse terreur.

Le lendemain, nous sommes retournées à la salle pour installer notre décor, avec l'aide de Pierre, le frère aîné de Margot, qui nous aida à transporter les meubles et les accessoires dans sa camionnette. On était en train de dérouler la fausse bibliothèque lorsqu'on entendit une voix s'élever :

— C'est elles !

Je reconnus tout de suite la voix de Vincent. Il nous montrait d'un doigt accusateur, visiblement en colère, accompagné par un homme bedonnant et essoufflé qui était sans doute le concierge.

Vincent s'approcha de nous à grands pas. Nous le regardions, intimidées et inquiètes, ne sachant pas ce qui avait provoqué son ire.

— Elles ont volé nos costumes de scène !

Ma jumelle et moi avons échangé un regard consterné.

— On n'a rien volé, murmura ma jumelle, la voix étranglée par l'indignation.

— Nos costumes ont disparu hier, vous étiez en train de répéter ici, vous êtes les seules à avoir pu les prendre.

Il se tourna vers le concierge, qui acquiesça sans dire un mot.

— C'est pas nous ! cria ma jumelle, hors d'elle. On n'est pas des voleuses ! De toute façon, on n'avait pas besoin de vos costumes, on joue une pièce du XVIIe siècle, pas de la fin du XIXe !

Si Vincent fut touché par la réplique de ma jumelle, il n'en montra rien. Il ajouta froidement :

— À cause de vous, on va être obligés de louer d'autres costumes. C'est vraiment malin.

Il disait « c'est vraiment malin » comme dans les films français de Darry Cole qui passaient souvent à la télé, les après-midi, et dont raffolait ma jumelle lorsqu'elle était alitée à cause de sa maladie.

Vincent est parti, suivi par le concierge, qui ne semblait pas trop savoir ce qu'il venait faire dans cette galère. Je me suis assise sur les marches de l'escalier qui permettait d'accéder de la scène au parterre, et je me suis mise à pleurer comme une Madeleine. Qu'un acteur dont j'admirais le talent, même pour un bref et magique moment, puisse se montrer aussi injuste et vindicatif me semblait le comble du malheur. Ma jumelle, quant à elle, était enragée. Elle donna un coup de pied à une chaise, qui alla s'écraser contre un mur de brique côté cour ; une patte se cassa dans la chute.

Nous avons tout de même fait notre répétition, mais sans plaisir, le cœur lourd. Ma jumelle, d'une humeur massacrante, nous interrompit à quelques reprises, insatisfaite de notre rythme, de notre diction, de notre interprétation. Bref, rien n'allait plus, madame la marquise.

Après la répétition, on est sorties de la salle le caquet bas, convaincues qu'on allait à l'abattoir, tellement on se sentait au-dessous de tout. Tout à coup, on a entendu une voix nous interpeller.

— Mesdemoiselles !

Vincent courait vers nous. Il était un peu rouge et essoufflé à cause de la course. Il s'arrêta à notre hauteur.

— Je vous dois des excuses. On a retrouvé nos costumes dans un bac à ordures. On les avait rangés dans des sacs verts ; le concierge les a jetés par mégarde.

Je m'apprêtais à le remercier, éperdue de reconnaissance, mais ma jumelle me devança :

— Vous nous avez accusées injustement. Vous n'aviez aucune preuve de notre culpabilité.

Vincent a souri, a levé les deux mains :

— Coupable, Votre Seigneurie.

Il semblait sincère, et son sourire était si sympathique, si ouvert, qu'on ne pouvait que lui pardonner.

— J'accepte vos excuses, dit ma jumelle d'un ton un peu trop emphatique. Vincent a souri de nouveau.

— On va jouer *On purge bébé* toute la semaine prochaine. Ça me ferait bien plaisir, de vous inviter à l'une des représentations.

J'étais sur le point d'accepter l'invitation, mais ma jumelle répondit à ma place :

— Merci, mais on doit répéter. On joue vendredi et samedi.

Elle est partie en flèche. Je l'ai suivie, mais je n'ai pu m'empêcher de me retourner.

Vincent était toujours debout, au même endroit. Il m'a envoyé la main. Mon cœur n'a fait qu'un tour.

Le nord du Nord

Quand on est arrivées à la maison, après notre visite à la salle de théâtre, on t'a aperçu, assis devant l'entrée de notre immeuble, un petit sac de voyage élimé posé à tes pieds. Tu étais en train de lire *Planet News* d'Allen Ginsberg. Tes cheveux te couvraient les yeux. Je me souviens, tu portais ton éternel col roulé et ton pantalon noirs, ton pull était troué aux coudes. Tu étais absorbé par ta lecture. Je t'ai dit, timidement, car il y avait un bon moment qu'on ne t'avait vu :

— Dominique ?

Tu as levé la tête, le regard vague, comme si tu sortais du sommeil.

— Salut, les *jums*.

Tu as ajouté, avec un humour teinté d'amertume :

— Le portier a refusé de me laisser entrer. Il m'a pris pour un *bum*.

Il y avait effectivement un portier en uniforme, Monsieur Boudrias, qui surveillait les allées et venues des résidents (comme il nous appelait un peu pompeusement) et des visiteurs. Il était obséquieux et méfiant, et avait une drôle de façon de bomber le torse – comme un merle – quand il refusait à un visiteur l'insigne privilège de franchir la porte d'entrée. On lui a expliqué que le jeune homme en noir était notre frère et qu'il pouvait le laisser entrer sans problème. Monsieur Boudrias a fait la moue, n'essayant même pas de cacher son dédain :

— La prochaine fois, avisez-moi d'avance quand vous aurez de la visite. Je pouvais pas deviner que ce… *monsieur* était votre frère.

Ton visage s'est assombri. Tu as levé les yeux vers le portier et tu lui as dit calmement :

— L'habit ne fait pas le moine.

Mais j'ai bien vu, à la façon dont tu lui as tourné le dos, juste un peu trop vite, que tu te sentais humilié. Mimi nous a appris plus tard que papa avait été obligé de te renvoyer de la librairie. Des clients s'étaient plaints du fait que tu refusais de leur vendre certains livres que tu jugeais trop médiocres et la gérante, Madame Sénécal, prétendait que tu t'absentais trop souvent. Papa, lui, a toujours soutenu qu'il n'avait pu te garder parce que son employée était revenue de son congé de maternité. Je n'ai jamais su la vérité, mais je suis portée à croire que papa a trouvé une excuse plausible pour ne pas t'humilier davantage.

Maman a été heureuse de te voir lorsqu'elle est revenue du travail, mais elle n'a pu cacher une légère anxiété :

— Tu comptes rester… longtemps avec nous ?

— J'en sais rien. Mais si je dérange, je peux aller ailleurs.

— Voyons, Dominique, tu sais très bien que tu es toujours le bienvenu à la maison.

Maman était tout de même embêtée : où te loger ? Depuis le départ de Jacques, ma jumelle occupait l'ancienne chambre de Fanfan. Tu avais l'habitude de « dormir à la dure », as-tu dit. Tu pouvais t'accommoder de n'importe quel divan. Ma jumelle proposa la grosse Bertha, qui nous avait suivis dans notre déménagement et qui trônait dans le séjour. Maman t'a prêté un double des clés de notre appartement. Tu nous as remerciés. Tu as déposé ton sac de voyage sur le divan, puis tu es parti sans nous dire où tu allais, ni quand tu allais revenir. Tu étais comme ça : tu ne sentais jamais le besoin de t'expliquer sur tes déplacements. Tu défendais ta vie privée avec âpreté, comme si c'était la seule chose qui t'appartenait en propre.

Aussi ai-je été surprise quand tu es revenu pour le souper avec une bouteille de bordeaux sous le bras.

Maman était touchée. Elle savait que tu ne roulais pas sur l'or, et que le vin t'avait coûté trop cher. C'est pendant ce fameux souper que tu nous as parlé pour la première fois de ton projet de voyage dans le nord du Nord.

— Le nord du Nord ? s'est exclamé Fanfan. C'est où ?

— À des milliers de milles de Montréal. C'est tellement sauvage qu'il n'y a qu'une seule route pour s'y rendre. Et ça, c'est quand il n'y a pas de grosse tempête de neige pour la bloquer. Les températures peuvent descendre jusqu'à -40 ou -50, en janvier.

— Pourquoi veux-tu aller dans un coin de pays où l'on meurt de froid ? s'exclama maman, qui a toujours été frileuse.

Tu as parlé de la toundra à perte de vue, des troupeaux de mouflons, des grizzlis, des ours polaires, de la horde de caribous de Porcupine qui parcourt chaque année plus de sept cent cinquante kilomètres depuis la côte arctique jusqu'à ses territoires d'hiver, des aurores polaires qui mettent le feu au ciel. Tes mains décrivaient en même temps le mouvement des étoiles, comme si tu les voyais. Fanfan était ébloui.

— Je veux partir avec toi ! dit-il dans un souffle, les yeux brillants.

— C'est le genre de voyage que l'on doit faire seul.

La petite musique

La veille de la première, je rêvai que j'étais toute seule sur scène, en crinoline et pieds nus. J'avais oublié de mettre ma robe et je ne me rappelais plus une seule réplique de mon texte, ni même la pièce dans laquelle j'étais censée jouer. Ma jumelle apparut à son tour sur scène, en pyjama, criant comme une perdue :

— On a volé nos costumes ! On a volé nos costumes !

Je me suis réveillée en nage. J'ai entendu des bruits de casserole dans la cuisine, je me suis levée, tu étais debout devant la cuisinière et tu faisais cuire des pâtes. Quand je t'ai raconté mon cauchemar, tu m'as dit que c'était un rêve « classique » chez les artistes.

— Un peintre rêve que la galerie où ses œuvres sont exposées va prendre en feu, un écrivain qu'il a perdu la seule copie de son manuscrit sur la banquette d'un taxi, un acteur qu'il ne sait pas son texte. C'est bon signe. Un artiste qui ne doute pas ne vaut rien.

Je ne fus rassurée qu'à moitié ; l'autre moitié était morte de peur, et convaincue qu'un trou de mémoire dévastateur en pleine représentation allait mettre un terme humiliant à mes rêves de théâtre.

— Vas-tu venir nous voir ?

— Je vais essayer.

Nous avions obtenu un congé de l'école pour voir aux derniers préparatifs. Le matin de la première, un vendredi printanier brumeux et frais percé de quelques rayons de soleil jaune pâle, on s'est rendues à la salle de théâtre pour finir de monter le décor et faire un dernier enchaînement. Même la placide Josiane commençait à être nerveuse, ce qui se manifestait par des coups répétitifs qu'elle donnait avec son éventail sur le bras de son fauteuil : tac tac tac... Trac, trac trac, me dis-je, repensant à mon cauchemar.

Une demi-heure avant la représentation, Lucie, qui faisait nerveusement les cent pas et n'avait pas l'habitude de marcher avec des souliers à talon haut, trébucha et alla s'écraser sur la bibliothèque en trompe-l'œil, la déchirant en deux. Elle se mit à bégayer des excuses entrecoupées d'un rire nerveux. Ma jumelle serra les dents et partit à la recherche de ruban adhésif pour recoller la bibliothèque, sa robe bleue en corolle virevoltant autour d'elle. Elle revint bredouille. On décida de placer une chaise contre le mur pour cacher la déchirure, mais un pan continuait de pendouiller. Ma jumelle regarda pensivement la bibliothèque, puis se tourna vers nous et dit, la voix calme :

— Si on joue bien, les spectateurs ne regarderont pas le décor.

Ce qui ne fit rien pour nous rassurer, tu penses bien.

On commençait à entendre des murmures, dans la salle. J'entrouvris le rideau de scène pour y jeter un coup d'œil. Papa, tiré à quatre épingles, comme toujours, faisait son entrée dans la salle, tenant maman par le coude avec une fierté mêlée d'ostentation. Indigné par la conduite de Jacques, et pris d'un tardif remords en regard de sa propre conduite, il avait décidé de traiter maman avec le respect qui lui était dû. Amusée par ces nouvelles attentions, elle avait décidé de s'y prêter, les préférant sans doute aux sautes d'humeur et aux insultes du passé.

Ma jumelle vint se glisser derrière moi.

— Est-ce qu'y a du monde ? murmura-t-elle, anxieuse.

— La salle est presque pleine.

Élisabeth venait de faire son entrée, accompagnée de Marie, son nouveau chien de poche. Elle se tenait la tête haute, la démarche un peu raide, et se plaça dans la dernière rangée, pour marquer son indifférence et sa supériorité intrinsèques.

Plusieurs professeurs s'étaient déplacés pour l'occasion, dont Monsieur Monge, qui tenait par le bras une charmante brune. Je repensai à la confidence d'Élisabeth, qui perdit tout à coup de sa réalité devant ce couple visiblement amoureux, et ressentis un vague malaise à l'idée que je savais une chose compromettante sur mon professeur, qu'elle soit vraie ou pas, et qu'il ne savait pas que je savais. Cette connaissance me donnait sur lui une sorte de pouvoir dont je ne voulais pas.

Je continuai à surveiller la salle, dans l'espoir de t'apercevoir, mais tu n'étais pas là. Juste au moment où je m'apprêtais à quitter les coulisses pour prendre ma place sur scène, j'ai vu Vincent, debout, dans une allée, cherchant une place. Il était seul. Un instant, nos regards se sont croisés. Il m'a souri. Je me suis empressée de refermer le rideau, les jambes molles, la tête lourde, submergée par une émotion que je ne comprenais pas. Ma jumelle s'est approchée de moi, inquiète :

— Prends une grande inspiration. Ça aide à faire passer le trac.

Elle ne se doutait pas un instant qu'un autre émoi que le théâtre puisse me faire battre le cœur. Un sourire nerveux aux lèvres, elle se tourna vers nous une dernière fois, puis elle prit un vieux balai qui traînait dans les coulisses et frappa les coups rituels pour annoncer le début de la représentation. Dans la salle, les murmures cessèrent graduellement.

Tout arriva, le pire comme le meilleur. J'eus le trou de mémoire appréhendé. Lucie, qui devait me donner la réplique, se figea comme une statue de sel. Le silence était devenu si profond que j'entendis mes tempes battre. La bouche de Lucie tremblait, premiers signes d'un séisme qui s'annonçait dévastateur. Ma jumelle se retourna sur un dix sous et improvisa brillamment pendant quelques secondes, réussissant même à arracher des rires au public, puis Lucie, s'accrochant aux derniers mots de la réplique de ma jumelle comme un noyé à une branche, reprit pied. Le reste se déroula sans trop d'encombres. Quelle entreprise étrange que le théâtre. Tous ces gestes et ces mots si souvent répétés pour donner l'illusion de la spontanéité, et qu'on livrait maintenant aux spectateurs.

La musique de Lully ponctua la dernière réplique. Noir. Silence. Puis les applaudissements crépitèrent. Les lumières se rallumèrent sur la scène et dans la salle. Je vis papa debout, le visage congestionné par l'émotion et le gin, applaudissant à tout rompre. Maman, debout elle aussi, nous envoyait discrètement des baisers avec sa main. Élisabeth, assise très droite sur son siège, les bras croisés, fixait froidement la scène. Monsieur Monge applaudissait poliment, un sourire goguenard aux lèvres, mais le regard indulgent. Je cherchai Vincent des yeux, je le vis, le visage à moitié caché par un spectateur. Puis il se leva. Je crus qu'il me souriait de nouveau, je lui souris en retour, puis je vis la grande fille aux ongles rouges debout à côté de lui, la tête penchée sur son épaule, le bras noué familièrement autour de sa taille. J'ai eu honte de ma présomption, je me suis mise à rougir, c'était un feu inextinguible. À défaut d'être une bonne comédienne sur scène, j'aurais voulu être capable, dans la vie, de « cacher mon jeu », comme disait grand-papa.

Vincent vint nous voir dans les coulisses, jovial et disert, accompagné par la grande fille aux ongles rouges, qui se prénommait Roxane. Je bafouillai un lamentable « bonchoir » et m'éloignai sans demander mon reste, convaincue que leur regard moqueur me suivait sans pitié.

Puis Élisabeth entra avec son port de reine, traînant Marie dans son sillage. Elle vint vers moi, me dit sans ménagement, mais sans méchanceté :

— Tu ne seras jamais comédienne.

Sa remarque ne me fit pas de peine, un autre chagrin avait pris toute la place. Élisabeth s'approcha de ma jumelle. J'observai la scène avec inquiétude, convaincue qu'elle allait lui asséner une estocade cruelle et irréparable. Élisabeth la regarda dans les yeux, et décréta :

— Tu as encore beaucoup de croûtes à manger si tu veux devenir comédienne.

— Je joue pour le plaisir de jouer, répondit ma jumelle.

— Si tu veux rester une amateur, ça te regarde.

Elle partit aussitôt sans lui donner le temps de répliquer, la pauvre Marie accrochée à ses basques. Ma jumelle resta debout sans rien dire. Était-elle blessée ? Indifférente ? Pour une fois, je fus incapable de lire dans ses pensées.

Quand on est rentrées, vers onze heures, l'appartement était plongé dans l'ombre. Une musique de jazz jouait à la radio, une odeur âcre et suave prenait à la gorge. On a tâtonné pour trouver le commutateur, puis la lumière a éclairé soudain le séjour, et on t'a aperçu, étendu sur le divan, une main frôlant le plancher. On s'est approchées, ton visage était pâle, ta bouche entrouverte, ta respiration saccadée, comme si tu faisais un mauvais rêve. Par terre, près de ta paume ouverte, il y avait une pipe et un cendrier. Soudain, tu as ouvert les yeux, tu nous as regardées sans nous voir, puis tu as murmuré : « La lumière blanche… », tu t'es tourné sur le côté, le visage contre le mur, et tu t'es rendormi. Ma jumelle s'est penchée, a ramassé la pipe, l'a examinée. Il y avait un reste de substance brunâtre au fond.

— C'est de l'opium, chuchota-t-elle.

— Comment tu le sais ?

— Tintin. Il visite une fumerie d'opium dans *Le lotus bleu*.

L'image de Chinois étendus sur des lits, fumant de l'opium, me vint à l'esprit. Je te regardai à nouveau, inquiète. Ton visage s'était apaisé, tu respirais régulièrement.

Durant la nuit, je m'éveillai soudain. La musique de jazz jouait toujours en sourdine. Je me levai, me dirigeai vers la porte entrouverte et j'entendis une voix provenant de la cuisine. Ma jumelle était en train de raconter la soirée de théâtre, sa joie lorsque les applaudissements avaient éclaté, sa peine lorsque Élisabeth avait décrété qu'elle avait encore des croûtes à manger si elle voulait devenir comédienne. Il y eut un silence. Puis ta voix s'est élevée, feutrée, très douce :

— Chaque être humain a sa petite musique, quelque chose qui n'appartient qu'à lui et que personne ne peut lui prendre. Toi, tu as la tienne, moi aussi. C'est tout ce qui compte, la petite musique.

Le lendemain, en allant dans la cuisine pour se faire un petit déjeuner, on s'est rendu compte que le canapé-lit avait été replié, les draps et les couvertures placés dessus en une pile étonnamment droite. Ton sac de voyage n'était plus là. Tu étais parti.

Illusions retrouvées

Quelques semaines après ton départ, maman convoqua une rencontre au sommet avec Fanfan, ma jumelle et moi.

— J'ai une nouvelle à vous annoncer.

À voir sa mine réjouie et contrite, nous nous doutions que cette nouvelle lui faisait plaisir mais qu'elle n'aurait pas le même effet sur nous.

— Jacques va revenir.

Ces quelques mots nous plongèrent dans un désarroi inexprimable. Rien ne nous y avait préparés. Nous étions convaincus que maman avait oublié son tourmenteur velléitaire, et n'arrivions pas à comprendre qu'elle puisse retomber dans les filets d'un beau parleur qui manie les sentiments comme on gère un fonds de commerce. Elle avait minutieusement préparé sa défense. La connaissant, je suis sûre qu'elle avait même pris des notes, comme une élève appliquée qui ne veut pas rater son examen, sachant qu'il lui faudrait une éloquence peu commune pour venir à bout de nos résistances.

— Il regrette ce qu'il a fait. Il m'a dit qu'il avait fait la pire erreur de sa vie en me quittant.

— Il a sûrement dit la même chose à sa femme quand il t'a quittée pour elle, dit ma jumelle, les yeux sculptés dans du bois dur.

Maman accusa le coup calmement, sans broncher.

— Je sais que c'est difficile pour vous de lui faire confiance. Mais Jacques a vraiment changé.

Fanfan regardait ses chaussures, pour ne pas pleurer. Puis il dit, la voix un peu croassante parce qu'elle était en train de muer :

— Tu vas me chasser de ma chambre ?

Maman le regarda, interdite. Elle prit une grande inspiration et lâcha le morceau :

— Jacques et moi, on va acheter une maison. Vous allez avoir chacun votre chambre.

Elle attendit un moment, pour nous laisser le temps de digérer la brique. Puis elle se tourna vers Fanfan :

— Je te promets de ne plus jamais laisser Jacques te traiter comme il l'a fait. Est-ce que tu comprends ?

Fanfan ne répondit pas, mais quand maman lui prit la main et la serra dans sa sienne, il ne la retira pas.

Sans espoir de nous convaincre, mais avec sa sincérité habituelle, elle conclut :

— L'amour, c'est une drôle de chose.

Le retour de Jacques fut moins pénible que ce à quoi on s'attendait. Maman, avec des ruses de Sioux, prépara le terrain. D'abord, elle nous fit visiter plusieurs maisons – sans Jacques –, nous consultant sur nos préférences. Puis elle organisa un premier souper avec lui. Il fit lui-même son *mea culpa,* nous désarmant à l'avance. Dans un discours-fleuve, il s'excusa de la peine qu'il avait causée à notre mère, il comprenait parfaitement bien qu'on ne pouvait lui accorder notre confiance tout de suite, il ferait tout en son pouvoir pour nous convaincre de sa bonne foi. Il prétendit que notre mère était son trésor, ce qu'il avait de plus précieux au monde, et que jamais plus il n'agirait comme un imbécile en gâchant sa vie, et la sienne, et la nôtre par ricochet. Il était conscient que maman ne nous sacrifierait jamais pour lui, mais il avait tant souffert d'être séparé d'elle qu'il était lui-même prêt à tous les sacrifices. Je voulus lui demander si vivre avec nous en faisait partie, mais son discours cascadait sans souffrir d'interruption. Il conclut en disant qu'il n'était pas notre père mais qu'il était attaché à nous et ne ménagerait pas ses efforts pour regagner notre affection. Ce n'était pas la première fois que Jacques usait de son éloquence pour se frayer un chemin dans nos cœurs. On était convaincus qu'un jour il renierait ses belles paroles, ou les oublierait. Mais on décida de suspendre temporairement notre scepticisme, tout en se gardant de lui pardonner trop vite, ce qui lui aurait donné une caution pour nous abandonner à nouveau.

La boule de cristal

Le lendemain de notre emménagement dans notre nouvelle maison, en allant acheter une pinte de lait, ma jumelle et moi avons rencontré Vincent au coin de la rue. Il nous reprocha gentiment de ne pas être venues voir le Feydeau. Je me mis à rougir de nouveau, furieuse contre moi-même mais incapable de reprendre le contrôle de mes émotions. Ma jumelle me regardait d'un drôle d'air, ne comprenant rien à mon comportement. Vincent, charitable, fit semblant de ne rien remarquer, nous invita à la fête qu'il donnait chez lui, le samedi suivant, pour son anniversaire, puis s'éloigna. Je restai plantée là sans bouger. Ma jumelle me tirait par le bras.

— Eh, t'es dans la lune, ou quoi ?

J'ai répondu, la voix atone :

— J'irai pas.

— Dans la lune ?

— Chez Vincent !

Pour une fois, ma jumelle s'est méprise sur mes intentions :

— T'es tellement rancunière ! Il s'est excusé, pour les costumes !

— Ç'a rien à voir avec les costumes !

Je regrettai aussitôt mon cri du cœur. Ma jumelle devina sans peine la vraie cause de mon trouble. Elle eut un petit rire incrédule.

— T'es amoureuse de lui.

— Es-tu malade !

Je donnai un coup de pied à un caillou, ce qui acheva de me trahir. Ma jumelle prit un petit air sévère, façon Saint-Just :

— T'as pas le droit, il est déjà pris.

Comment une personne aussi brillante pouvait-elle proférer un tel *truisme,* comme dirait Jacques.

Le jour fatidique arriva. J'étais bien décidée à ne pas aller chez Vincent, incapable d'affronter sa gentillesse, ni le regard condescendant de Roxane. Ma jumelle entreprit de me faire changer d'idée, affirmant que mon absence risquait d'être prise pour un aveu. Je finis par céder, non pas tant parce que j'accordais du crédit à ses arguments, mais parce que je sentais qu'au fond, malgré ses airs frondeurs, elle était trop timide pour s'y rendre toute seule. Et aussi, pour être honnête avec toi, je ne pouvais résister au plaisir de revoir Vincent.

La maison de Vincent était en pierres, avec un joli jardin négligé et des vignes qui grimpaient de façon anarchique sur les murs. Ce fut son père qui nous accueillit. Il avait le visage rubicond et les yeux vifs.

— Ah, c'est vous les jumelles ! s'écria-t-il avec la voix d'un acteur habitué à projeter pour atteindre les spectateurs jusqu'au fond d'une salle.

Il se recula pour nous laisser entrer.

— Vincent m'a dit que vous vouliez devenir comédiennes ? poursuivit-il en nous entraînant vers le salon.

C'est un métier de saltimbanques, mais c'est un beau métier!

Puis il cria :

— Vincent! Les jumelles sont arrivées!

Il s'éclipsa, tournant sur ses talons avec une grâce étonnante, pour un homme qui avait la corpulence d'un Falstaff.

La soirée se déroula comme dans un rêve. Monsieur Kaufman s'était retiré discrètement dans son antre, comme il l'appelait, afin de répéter un rôle. Après le souper, Roxane, qui portait une robe noire, une écharpe en soie rouge nouée autour de sa tête et des bracelets aux poignets, organisa une séance de spiritisme. Elle ferma les draperies, prit place au bout de la table de la salle à manger sur laquelle trônait un chandelier en cuivre, alluma les bougies, puis nous ordonna de nous asseoir à notre tour et de prendre la main de nos voisins afin de former une chaîne. Je pris la main de ma jumelle à ma droite, et, à mon grand émoi, celle de Vincent à ma gauche. Au même moment, Roxane nous demanda de fermer les yeux. Elle prétendait que si on gardait les yeux fermés et qu'on ne brisait la chaîne sous aucun prétexte, on pourrait recevoir la visite d'un esprit, qui se manifesterait en faisant bouger la table : un mouvement de la table correspondait à oui, deux mouvements à non. Je ne crus pas un mot de ce qu'elle racontait, mais j'étais fascinée par la mise en scène, troublée par l'atmosphère feutrée et mystérieuse de la salle à manger, et surtout par la chaleur de la main de Vincent dans la mienne.

Le silence se fit. J'entendais le crépitement des chandelles, le bruit des respirations. L'estomac d'un convive grogna. Puis après quelques secondes, la voix de Roxane s'est élevée :

— Esprit, es-tu là ? Si oui, fais-nous signe.

Rien ne se produisit. Roxane répéta sa question.

— Esprit, si tu es là, fais-nous signe.

Soudain, j'entendis un léger grincement. J'entrouvris un œil, au mépris des consignes, et j'eus l'impression que la table bougeait. En tout cas, je me suis prise au jeu, comme lorsque tu te transformais en Monsieur Toki. Roxane reprit :

— La table s'est soulevée une fois. L'esprit est là.

Elle laissa planer un silence dramatique. Puis elle poursuivit :

— Esprit, as-tu déjà habité cette maison ?

Un silence, puis un autre grincement. Je sentis un délicieux frisson sur ma nuque.

— L'esprit a répondu oui.

Juste à ce moment, ma jumelle éternua si fort qu'elle brisa la chaîne. Ce malencontreux « atchaaa » dut faire fuir l'esprit, car il ne se manifesta plus. Roxane, furieuse, mit abruptement fin à la séance :

— Tu as brisé la chaîne. C'est terminé, l'esprit ne reviendra plus.

— L'esprit ne peut pas revenir, rétorqua ma jumelle, il n'existe pas.

Roxane, piquée au vif, sortit de la pièce en agitant théâtralement son écharpe et ses bracelets. Vincent se leva et courut la rejoindre. J'eus la tentation presque irrésistible de blâmer ma jumelle pour avoir rompu le charme, mais surtout pour avoir fait fuir Vincent. Ma jumelle lut dans mes pensées :

— Dis-le donc, que j'ai tout gâché !

Je suis sortie de la pièce pour ne pas l'étriper.

En cherchant la salle de bains, je suis entrée par mégarde dans une pièce assez petite, à l'ameublement austère et dont les murs étaient tapissés de livres. Les rideaux étaient tirés. Une boule de cristal, déposée au centre d'un large pupitre en chêne sombre, luisait sous la lumière orangée d'une lampe. Je me suis approchée de la boule. Mon visage s'y reflétait, légèrement déformé, comme dans les miroirs du parc Belmont. La voix de Monsieur Kaufman me fit sursauter.

— Qu'est-ce que tu vois ?

J'étais trop intimidée pour répondre. Il s'avança vers moi, s'arrêta à ma hauteur. Il avait des ombres violettes sous les yeux.

— Crois-tu qu'on puisse lire notre avenir dans une boule de cristal ?

Je répondis, la voix étranglée :

— Je ne pense pas.

Il me regarda du coin de l'œil, le sourire sibyllin.

— Chacun y voit ce qu'il veut bien y voir.

Il sortit. Je regardai à nouveau la boule de cristal. Des livres s'y reflétaient. J'eus le sentiment qu'ils traçaient un chemin.

Le cercle polaire

On était en novembre. Les arbres noirs faisaient des ombres chinoises sur le ciel gris strié de blanc. Il neigeait des flocons drus et tendres qui fondaient en atteignant la terre sombre. Le téléphone a sonné, Fanfan a répondu. C'était toi. Tu voulais parler à maman, mais elle était allée porter une traduction à un client. Fanfan t'a parlé puis a raccroché, tout excité.

— Il va le faire.

— Qui va faire quoi ?

— Dominique ! Il part demain pour le nord du Nord !

Quand maman est revenue, Fanfan lui a fait le message.

— Le Nord, c'est grand. Il ne t'a pas laissé un numéro où le joindre ? Une adresse ?

Fanfan a secoué la tête. Elle a décidé d'appeler papa pour en avoir le cœur net. Il a répondu à la première sonnerie. Il était de bonne humeur. Elle lui a parlé de ton coup de téléphone, lui a demandé ce qu'il savait de ton voyage dans le « nord du Nord ». Il lui a expliqué que tu avais obtenu une subvention pour tourner un documentaire sur le Grand Nord. Tu devais y passer un an, d'abord à Churchill, puis plus à l'ouest, au Yukon. Peut-être même en Alaska. Comme tu te déplaçais beaucoup, tu n'aurais pas d'adresse fixe, mais tu avais promis de donner régulièrement de tes nouvelles. Crois-le ou non, il était très fier de toi.

— J'ai toujours su qu'il avait du talent. Il fallait juste qu'il trouve sa voie.

Tu l'as trouvée, il n'y a pas de doute là-dessus.

Quelques semaines après ton appel, on a reçu une carte postale. Maman l'a gardée précieusement. On y voit un paysage blanc qui se confond avec le ciel. Tu as écrit jusque dans les moindres recoins, en laissant à peine assez d'espace pour l'adresse. Une tache d'eau a rendu un mot illisible :

> *Ici, c'est blanc à perte de vue. On entend le silence. C'est si froid que nos oreilles risquent de tomber si on reste quelques secondes dehors*

sans chapeau. (C'est une blague.) À cette époque de l'année, il fait nuit presque tout le temps. Il y a plein d'ours polaires qui se rassemblent de novembre à décembre en attendant le gel des eaux, et des aurores boréales qui couvrent le ciel tard le soir. Je suis [mot illisible] si un tel état existe.

Dominique

Le timbre postal avait été oblitéré à Churchill, deux jours avant notre treizième anniversaire. Fanfan, ma jumelle et moi avons cherché Churchill dans l'atlas. C'est au nord du Manitoba, sur la côte sud-ouest de la baie d'Hudson. Il paraît qu'il y a tellement de neige dans cette contrée qu'on se déplace en traîneau à chiens ou en raquettes. Nous rêvions de partir à l'aventure et de te rejoindre là-bas, comme le grand Meaulnes rêvait de retrouver le domaine perdu, même si tu nous avais dit que c'est le genre de voyage que l'on fait seul. Et comme le grand Meaulnes, on échafauda un plan : on ne pouvait partir avant la fin de l'année scolaire, à la fin de juin. Il nous faudrait convaincre un adulte de nous accompagner, on savait d'avance que maman ne nous laisserait jamais partir aussi loin tout seuls. On n'avait aucun moyen de savoir où tu serais au moment de notre départ, mais peut-être aurions-nous de tes nouvelles d'ici là et, de toute façon, aller à ta recherche ferait partie de l'aventure.

*

Trois mois se sont écoulés après ton départ. À part ta carte postale, nous n'avons plus eu de nouvelles. Maman commençait à s'inquiéter lorsqu'elle a reçu une lettre. L'enveloppe n'avait pas d'adresse de retour. Tu l'avais postée de Whitehorse, au Yukon, à environ mille huit cent milles de Churchill. À l'intérieur, il y avait une feuille quadrillée pliée en trois. Elle a été perdue depuis, mais je me rappelle chaque mot :

> *Au-delà du cercle arctique (66° 30' de latitude nord), le soleil ne se lève pas le 21 décembre et ne se couche pas le 21 juin.*

La lettre n'était pas signée, mais on reconnut sans peine ton écriture si particulière, à la fois précise et tourmentée. Maman fut intriguée par ta lettre mais, habituée à tes lubies, comme elle les appelait avec un agacement tendre, elle n'en fit pas grand cas. Nous lui avons parlé de notre projet d'aller te rejoindre dans le « nord du Nord » pour les vacances d'été. Comme prévu, elle s'y opposa :

— On ne sait même pas où il est, au juste !

Fanfan a brandi la feuille quadrillée :

— Il nous l'a dit dans sa lettre !

Maman l'a regardé sans comprendre. Fanfan est allé chercher l'atlas, a montré un endroit du doigt :

— Whitehorse est juste ici.

Puis il a désigné un pointillé :

— Le cercle polaire est là. À 66° 30' au-delà du cercle polaire, à partir de la latitude de Whitehorse, c'est…

Maman l'a coupé :

— Il pourrait être à Tombouctou ! Il n'est pas question que vous fassiez ce voyage tout seuls.

Ma jumelle s'empressa d'intervenir :

— On va y aller avec un adulte, voyons.

— Lequel ? demanda maman, qui ne manquait pas de présence d'esprit. Je sautai dans le bain à mon tour :

— Ça pourrait être Luc.

Maman secoua la tête.

— Luc veut trouver du travail, cet été, pour payer ses études.

Quant à Jean-Claude, après avoir quitté l'armée, il était allé vivre dans une commune où, d'après ce que j'ai pu comprendre, il partageait tout, y compris sa blonde. Mimi était à nouveau enceinte, pas question pour elle d'entreprendre un tel voyage. Ce fut Fanfan qui sauva la mise :

— Papa.

Maman regarda Fanfan, surprise et presque vexée.

— Lui avez-vous demandé ?

On n'a pas répondu, l'air penaud. Elle s'est radoucie.

— Si votre père est d'accord, il n'y a pas de problèmes.

Papa accepta avec enthousiasme. Il avait travaillé fort toute sa vie, nous dit-il, confiné dans un bureau, dans la poussière des livres et le cauchemar des inventaires. Il avait envie d'air pur, de grands espaces. Je crois aussi que, dans son « fort » intérieur, il cherchait à se rapprocher de toi, à retisser des liens qu'il croyait détruits par sa faute. Mais ce n'est qu'une hypothèse. La perspective de faire un long voyage avec lui nous inquiéta un peu, étant donné son caractère soupe au lait et sa propension pour le gin, mais *à cheval regardé, il ne faut pas donner la bride,* aurait dit Madame Dozois.

Nous n'avions qu'une hâte, c'était d'aller te rejoindre, où que tu sois. Le jour fixé pour le grand départ était le 29 juin. Ma jumelle a installé un calendrier dans notre chambre, nous tracions un X sur chaque journée qui n'en finissait pas de finir. Jacques nous procura un guide pratique sur le Grand Nord, qu'il avait dégoté dans une « vente de garage ». Nous consultions si souvent l'atlas qu'il commençait à se déchirer par endroits.

*

Ça faisait quelques semaines qu'on n'avait plus de tes nouvelles. Papa, pour en avoir le cœur net, a appelé un ami qui travaillait au ministère du Tourisme. Après quelques jours de recherches, on lui a dit qu'un guide avait vu quelqu'un qui correspondait à ta description à Fort Simpson, dans les Territoires du Nord-Ouest, six cents milles à l'est de Whitehorse. Peut-être avais-tu décidé de rebrousser chemin.

Puis ce fut la veille de notre départ, le 28 juin. Je me rappelle, il faisait soleil, ce jour-là, le vert de l'herbe et des feuilles était presque transparent dans la lumière. Maman finissait de coudre des étiquettes sur nos vêtements. Tout le monde courait partout, c'était la folie furieuse. Le téléphone sonna un peu avant le souper. Maman venait de partir pour faire des courses. C'est Jacques qui alla répondre, tandis que je lisais *Agaguk*, question de me plonger dans l'atmosphère du Grand Nord même si, d'après maman, les Esquimaux ne vivaient plus ainsi depuis belle lurette. Jacques n'a presque rien dit, au téléphone. Il y avait de longs silences entre chaque mot.

— Oui. Où ? Je comprends. Merci.

Il a raccroché. Il s'est raclé la gorge.

— Où sont les autres ? demanda-t-il.

Je continuai à lire.

— Dans leur chambre, en train de finir leurs bagages. Pourquoi ?

Comme il restait là sans répondre, j'ai fini par lever la tête. Il était calme, mais son regard était voilé. Il a parlé un peu plus vite que d'habitude, comme s'il cherchait à alléger les mots.

— Ton frère a été retrouvé dans une maison de chambres, à Vancouver.

Il est resté debout un moment, les bras ballants, puis il a ajouté :

— Il est mort.

Il est venu vers moi, m'a effleuré la tête avec sa main.

— Il va falloir qu'on prenne bien soin de ta mère.

Il est sorti en direction du sous-sol. « Il est mort. » Les mots sonnent faux, comme s'ils étaient empruntés à une langue inconnue. Je les répète dans ma tête, pour tenter de leur donner un sens, mais plus je les répète, moins ils en ont. As-tu remarqué ? Lorsque le malheur arrive, on dirait que le temps se met au ralenti, comme pour permettre à la douleur de s'insérer graduellement en nous, jusqu'à ce qu'elle prenne des contours presque familiers. J'ai pensé à Monsieur Toki. Il a eu beau creuser, creuser dans la terre pour venir jusqu'à nous, la roche était trop dure, trop coriace. Il ne verra plus jamais la lumière du jour, n'enlèvera plus la mèche sur son front, ne penchera plus son beau visage au-dessus d'un livre, appuyé contre un lilas japonais.

*

Papa vient d'arriver à Montréal. Pour une fois, il a pris le train, prétendant que c'était plus confortable que la voiture, mais il est en fait trop bouleversé pour conduire. Il porte des lunettes de soleil pour cacher ses yeux gonflés. La police lui a appris que tu t'étais tué avec une carabine. D'après le témoignage d'un locataire, tu vivais à la maison de chambres depuis peu. Tu ne parlais à personne, tu vivais la nuit et tu dormais le jour. C'est lui qui a entendu le coup de feu et t'a découvert. Les policiers ont trouvé une coupure de journal, sur la table de chevet. Un passage avait été souligné au feutre vert :

> *D'après un mythe algonquin, lorsque le créateur de la Terre (Nanahbozho) eut fini son travail, il a voyagé vers le nord, où il habite. Il y a fait de grands feux pour rappeler aux hommes qu'il ne les oublie pas. Les aurores boréales sont les réflexions de ces feux.*

Il y avait également au pied de ton lit une petite valise dans laquelle la police a trouvé des vêtements, quelques dessins, un carnet de notes rempli de ton écriture serrée et une bobine de film. Il n'y avait pas de trace de caméra. Peut-être avait-elle été volée. Tout est dans une boîte que maman a soigneusement rangée dans un placard. Personne n'a encore eu le courage de l'ouvrir depuis ta mort.

Jacques remplit son rôle de consolateur avec un dévouement qui m'étonne. Il entoure notre mère d'attentions inhabituelles, s'occupe de toutes sortes de tâches administratives qui semblent toujours accompagner la mort, comme pour l'effacer. Lorsque maman pleure, il la prend dans ses bras, lui murmure des choses tendres. Je me dis qu'en fin de compte il n'est pas revenu pour rien, et que sa présence, même au prix de mensonges et d'illusions, aide maman, rend sa vie plus supportable. Quant à papa, chaque fois qu'il nous rend visite, il ne peut s'empêcher de reparler de toi. Alors ses yeux se brouillent de larmes, il se reproche amèrement de ne pas avoir fait assez pour toi, de ne pas avoir compris ton mal de vivre, comme il l'appelle. Et chaque fois, maman le console : « Ce n'est pas ta faute, on a fait notre possible, personne n'y pouvait rien. » Ils n'en croient pas un mot, mais ces paroles les rassurent, mettent un baume temporaire sur leur douleur. Je m'excuse de te raconter tout ça, je le fais parce que je sais que tu ne peux plus m'entendre.

Il faut que je m'habitue à parler de toi au passé. C'est difficile, car dans ma tête, tu continues à vivre. Je trouve absurde de dire « J'aimais mon frère Dominique », puisque je t'aime toujours. Quand quelqu'un me demande combien j'ai de frères et de sœurs, je réponds spontanément quatre frères et deux sœurs, puis je me sens obligée de préciser : « J'avais quatre frères, mais maintenant, j'en ai trois. » Il y a toujours un silence embarrassé, après, et j'ajoute, le souffle un peu court : « Un de mes frères est mort. » Les plus indiscrets demandent comment. J'hésite, puis je dis : « Un accident. » Et chaque fois, tu meurs un peu plus.

*

Fanfan, ma jumelle et moi avons décidé d'ouvrir la boîte. Nous avons d'abord jeté un coup d'œil à ton carnet de notes. On ne comprend pas tout, il y a des dates jetées pêle-mêle sur le papier, des noms d'endroits : Yellowknife, Dawson, Fort McPherson, Inuvik. Tu as même dessiné une petite carte, où l'on voit une partie du Yukon et des Territoires du Nord-Ouest, avec quelques tracés de routes. Vis-à-vis l'une d'elles, tu as dessiné une flèche et indiqué : route de Dempster. Dans l'atlas, la route de Dempster mène à Inuvik, un petit village au nord du cercle polaire. Fanfan avait visé juste, lorsqu'il avait deviné ta destination à partir de ta lettre. Sur une page, tu as noté : « Les aurores sont associées à la mort, à la fécondité, à la chance ou au malheur, selon la provenance du folklore. » À la page suivante : « La température la plus basse (62,8 °C ou 81 °F sous zéro) a été enregistrée à Snag, dans l'ouest du Yukon, en février 1947. » Puis, quelques pages plus loin : « Ce serait un film sur la blancheur, sur le froid qui tue la douleur… » Il y avait plein d'autres passages illisibles, ou trop tristes pour qu'on soit capables de les lire jusqu'au bout.

La bobine de film est toujours au fond de la boîte. Comme on n'a pas de projecteur à la maison, Fanfan en a apporté un de l'école. Je ne sais pas comment il a fait son compte, puisqu'il n'a pas la permission de sortir de matériel, mais il s'est débrouillé. On a installé un drap dans le sous-sol, Fanfan a fixé la bobine, puis a mis l'appareil en marche. Au début, il n'y avait que du noir. Cela a duré une bonne minute. On commençait à se demander si la bobine était vierge lorsque l'image s'est éclaircie graduellement. C'était un plan fixe. On voyait de la neige à perte de vue, qui se confondait avec le ciel, comme sur ta carte postale. Le soleil était à son zénith et faisait étinceler la blancheur. Puis il y eut un changement de plan. C'était exactement le même paysage, mais le soleil était plus près de l'horizon. Il y eut vingt autres plans, tous semblables, à part le soleil qui descendait de plus en plus, mais ne se couchait jamais. Puis une phrase est apparue à l'écran :

> *Au-delà du cercle arctique (66° 30' de latitude Nord), le soleil ne se lève pas le 21 décembre et ne se couche pas le 21 juin.*

Puis il y eut un fondu au blanc. Puis plus rien.

L'aurore boréale

Nous sommes le 21 juin 1971. La nuit est douce, le ciel sans nuages. Je suis assise sur une couverture, dans le jardin, derrière la maison avec une lampe de poche, ta carte postale, ta lettre et mes cahiers. Maman a retrouvé mon journal intime, tu sais celui que j'avais raturé quand j'étais petite. Il était dans le tiroir d'une vieille commode qui contenait d'anciens bulletins scolaires, des dessins et des compositions françaises. J'ai décidé de le poursuivre quand j'ai appris ta mort, il y a un an moins sept jours. En fait, ce n'est pas vraiment un journal. J'écris au fil de la plume, sans indiquer de dates. J'ai presque fini mon quatrième cahier.

Je te revois encore, le jour où l'on a déménagé à Montréal, debout devant la maison. La neige tombait doucement sur ta tête et tes épaules, tu nous saluais de la main, ta silhouette noire déjà lointaine, comme si tu avais été enfermé dans une boule de verre. J'ai compris que c'était moi qui t'avais enfermé dans un espace qui ressemblait à une scène de théâtre, cercle de lumière blanche où je pouvais déposer les malheurs, les peines, les souvenirs tristes et heureux, les éloigner de moi comme s'ils ne m'appartenaient plus, les mettre à distance pour pouvoir pleurer des larmes qui n'étaient déjà plus les miennes.

Je sais que tu ne pourras jamais me lire, dans l'étrange contrée où tu habites maintenant, mais j'ai fait comme si. J'espère que je ne t'ai pas trop ennuyé avec mes histoires.

Je viens d'entendre la porte de la galerie claquer. Ma jumelle me rejoint, en pyjama, ses lunettes à la John Lennon posées un peu de travers sur son nez, les cheveux en bataille. Elle s'installe à côté de moi, se couvre avec un pan de la couverture en jetant un coup d'œil à tout ce qui reste de toi.

— Moi aussi, je pense à lui, dit-elle.

Crois-le ou non, au même moment, on a vu une lueur verte dans le ciel, provenant du nord.

— C'est lui.

Ma jumelle me regarde avec un air sceptique.

— T'es trop sentimentale.

Je ne me formalise pas de sa remarque. Quand ma jumelle a de la peine, elle est comme un oursin, pleine d'épines à l'extérieur, mais tendre à l'intérieur.

L'aurore boréale s'allonge, devient de plus en plus verte. Même ma jumelle est troublée. Mais tu la connais, elle fait comme si de rien n'était. On reste là, collées l'une contre l'autre, en silence.

— Est-ce que tu lui en veux? dis-je après un moment.

— Des fois.

On entend une voiture passer devant la maison. Une légère brise s'élève, soulève ta carte postale. Ma jumelle la rattrape avant qu'elle ne s'envole. Elle la contemple longuement. Puis elle se tourne vers moi :

— On va faire un pacte.

Je ne sais pas pourquoi, mais j'ai peur qu'elle me demande quelque chose de trop difficile, comme de mettre fin à nos jours. Je peux bien te le dire, en ce moment même, je trouve que la vie est incroyablement triste et belle, et la dernière chose que je voudrais faire, c'est de la quitter. Ma jumelle attend un instant, question de prolonger le suspense. Elle n'a pas appris l'art dramatique pour des prunes. Puis elle reprend avec gravité :

— On va faire le pacte de ne pas mourir, en tout cas, de ne pas mourir le plus longtemps possible.

Je n'ai même pas besoin de parler pour qu'elle sache que je suis d'accord. Elle exige qu'on répète la phrase trois fois. Tu peux imaginer la scène, deux jumelles, dehors, en pyjama, à trois heures du matin, en train de dire tout haut « On ne va pas mourir le plus longtemps possible »…

Après notre pacte, on s'étend sur le dos et on regarde le ciel étoilé. On distingue clairement la Grande Ourse et Cassiopée. L'aurore boréale faiblit peu à peu.

— Qui va mourir en premier, tu penses ? dit-elle.

— Moi.

— Non, c'est moi.

— Pourquoi toi ?

— Parce que je ne veux pas que tu meures avant moi.

— Si tu meurs avant moi, j'en mourrai.

— Moi aussi.

Etchèptérat.

Pour communiquer avec l'auteure :

lefortinterieur@hotmail.com

Cet ouvrage a été composé en New Caledonia 13/15
et achevé d'imprimer au Canada en août 2006 sur les presses de
Quebecor World L'Éclaireur/Saint-Romuald, Canada.